Parce que c'était toi...

BRUNO COMBES

Parce que c'était toi...

ROMAN

Partagez vos impressions sur ma page Facebook :
www.facebook.com/BrunoCombes

Pour me contacter :
bc-ecrivain@orange.fr

Compte Instagram de l'auteur :
www.instagram.com/bruno_combes_auteur

À toutes celles qui ont passionnément aimé.
Alors elles ont intensément vécu...

*Je ne sais pas si tu es en moi ou si je suis en toi,
ou si tu m'appartiens. Une chose est sûre,
je ne veux pas te posséder. Je pense que nous sommes
tous les deux à l'intérieur d'un autre être
que nous avons créé et qui s'appelle « nous ».*

Sur la route de Madison,
Robert James WALLER

1

L'insouciance

L'insouciance, c'est retenir par la main cette part d'enfance qui s'enfuit et qui nous manque tant. C'est apprécier cette légèreté qui apaise les moments trop sérieux, trop ordonnés, trop prévisibles.

C'est ne pas se soucier des conséquences et écouter cette petite voix qui nous donne envie de sauter dans les flaques avec un grand éclat de rire.

Une fois de plus, Amélie avait réussi à embarquer Camille dans une virée improvisée. Même si celle-ci avait tenté de résister en prétextant un dossier important à terminer et Lucas, son fils, à récupérer à la sortie du collège, rien n'y avait fait. Amélie avait toujours le mot juste pour convaincre son amie d'honorer leurs sorties entre filles.

Comme à chaque fois, elle ne bataillait pas longtemps. C'était devenu une sorte de jeu, une façon d'ouvrir leur parenthèse d'insouciance et de légèreté, le temps d'un dîner.

— Non, tu es pénible ! Je n'ai pas le temps, pas ce soir !

— Camille, tu plaisantes, j'espère ? Sans ta bonne humeur et tes blagues parfois douteuses, comment veux-tu que nous passions une bonne soirée ? insista Amélie, gentiment moqueuse.

— Bon d'accord, par contre, la semaine prochaine impossible, ce sera sans moi ! pesta Camille avec une conviction qui frisait le néant.

Elle devina le rire naissant d'Amélie qui ne tarda pas à éclater.

— Bien sûr Camille, bien sûr ! la semaine prochaine...

— Sabine sera là ?

— Évidemment, où veux-tu qu'elle soit ?

— 20 heures à la brasserie des Champs-Élysées, et ne soyez pas en retard ! Je suis crevée, je ne veux pas me coucher trop tard.

— O.K., chef. Bien, chef !

Elles raccrochèrent, impatientes de se retrouver.

Depuis deux ans, une ou deux fois par mois, les trois copines avaient l'habitude d'organiser une soirée pour décompresser, raconter pas mal de bêtises et, aussi, se faire quelques confidences. Parfois, la soirée se transformait en séance de psychothérapie, pour l'une ou l'autre, selon les aléas de la vie.

Toutes trois avaient fait connaissance, il y a plus de vingt ans, sur les bancs de la faculté de droit de Paris.

Camille débarquait, un peu perdue, de son Sud-Ouest qui l'avait vue grandir jusqu'à l'obtention de son baccalauréat. Elle avait eu du mal à s'habituer à cette nouvelle vie. Les embruns océaniques, les étendues de sable, les odeurs de pin et la douceur de vivre d'Arcachon lui manquaient. Le lycée Grand Air, situé sur les hauteurs de la ville, n'était plus qu'un souvenir qui, chaque fois qu'elle y pensait, lui serrait la gorge.

Elle n'avait pas tardé à se lier d'amitié avec Sabine, originaire de Strasbourg, qui tout comme elle découvrait ce changement d'existence avec appréhension.

Amélie était alors apparue comme leur sauveuse.

Elle, la parfaite Parisienne, capable de faire un footing le long de l'avenue des Champs-Élysées et de se sentir, après une demi-heure à respirer les fumées des pots d'échappement à pleins poumons, parfaitement bien et « super oxygénée », selon ses termes.

Camille se rendit rapidement compte que, pour une étudiante, Paris était sans aucun doute l'une des destinations les plus appréciables. Les multiples tentations de la vie parisienne eurent tôt fait de brouiller l'image de sa province.

À la fin de leurs études, elles avaient toutes trois commencé par une carrière classique d'avocate, mais après quelques années d'exercice elles s'étaient lassées de gérer des divorces et des conflits de voisinage, dossiers plus déprimants les uns que les autres.

Camille fut la première à changer d'orientation professionnelle tout en restant dans un métier purement juridique.

Elle avait créé avec Richard, son mari, rencontré également sur les bancs de la faculté, le cabinet Mabrec-Loubin, spécialisé dans le conseil des grands patrons de l'industrie et des personnages politiques de tous horizons.

Pour Amélie, le changement avait été plus radical. Fêter ses quarante-deux ans avait été le déclic d'un ras-le-bol général. Comme à son habitude, elle n'avait pas fait dans le détail. Elle était passée, en l'espace de quelques semaines, des salles feutrées des palais de justice aux hurlements matinaux du marché de Rungis pour s'approvisionner en fleurs, afin d'achalander la boutique qu'elle avait ouverte dans le quartier de Montmartre. Elle se contentait désormais d'un deux-pièces au-dessus de son magasin, contraste saisissant avec ses deux cents mètres carrés des bords de Seine près de la Maison de la Radio.

Le comportement de son mari l'avait grandement aidée dans sa décision de tout bouleverser. Elle supportait depuis trop longtemps ses escapades à la recherche d'une peau plus jeune.

Quant à Sabine, elle s'était contentée, si l'on peut dire, d'une relation extraconjugale de six mois pour s'évader de la lassitude de sa vie qui filait bien trop vite à son goût. Mais la raison l'emporta et elle préféra la sécurité des étreintes tièdes de son compagnon à l'imprévu avec un amant qui aurait pourtant désiré construire quelque chose avec elle.

L'amour n'était plus forcément au rendez-vous, mais la tendresse de Remy, qui l'accompagnait depuis quinze ans, la rassurait et lui permettait de croire que la douceur à petites doses était la solution pour une vie de quadragénaire épanouie.

— Ah, quand même ! protesta Amélie lorsque Camille poussa la porte de la brasserie.

— Désolée les filles, Lucas n'en finissait plus de bavarder avec ses copains. À quelques minutes près, je me suis retrouvée dans les bouchons, pour le déposer à la maison et revenir sur Paris ensuite ! déclara Camille tout en s'affalant sur la banquette de cuir rouge du coin fumeurs près de la terrasse.

Avec une pointe de nostalgie, Amélie murmura :

— En ce qui me concerne, je n'ai plus ce genre d'inquiétudes, ma fille sait à peine où j'habite.

Sabine, qui n'avait pas pu avoir d'enfant, ajouta :

— Je n'ai jamais eu ces préoccupations, hélas !

— Oh là là, c'est fini la sinistrose ? s'écria Camille. Je n'ai pas supporté une heure trente de bouchons pour passer une soirée déprimante ! Vous avez commandé quoi en apéro ?

— Rien, on t'attendait. Souviens-toi, c'est à toi de nous faire découvrir ton fameux vin qui « déchire tout », selon ton expression, s'amusa Amélie.

Camille jeta un coup d'œil rapide à la carte avant de faire signe au garçon.

— Oh, mes clientes préférées, vous revoilà ! Quelle douceur allez-vous choisir ce soir ? demanda Alain, le serveur.

— Tu as conservé les bouteilles que je t'ai confiées le mois dernier ? lui lança Camille.

— Bien sûr, que veux-tu que j'en fasse ? Je ne bois que du Coca !

— Parfait ! Alors, va donc nous chercher une bouteille de « Grain d'amour ». J'espère que tu les as gardées au frais.

— C'est parti ! Et une bouteille de « Grain d'amour » pour ces demoiselles ! fit Alain tout en finissant de nettoyer une table qui venait de se libérer.

Amélie jeta un coup d'œil interrogateur à Sabine.

— C'est quoi, ça, le « Grain d'amour » ?

— Un vin rosé, une appellation du Sud-Ouest, que j'ai eu l'occasion de découvrir récemment.

— Encore un élu véreux que tu as sauvé des griffes de la Justice, je suppose ? insinua Amélie.

16

— Franchement, tu imagines un client m'offrir un vin avec un nom… comment dire… de ce genre ?

— Tu as raison, ça pourrait prêter à confusion, mais avec Mme Mabrec ou plutôt… Mlle Loubin, on ne sait jamais !

Camille souffla de dépit.

— Quel humour !

Amélie connaissait la susceptibilité de son amie concernant sa vie privée et ne souhaitait pas plomber la soirée. Elle stoppa son interrogatoire, préférant poursuivre par une question le plus neutre possible.

— Il est bon, au moins, ton « Grain d'amour » ?

— Très sucré, doux et facile à boire ! Moi qui suis plutôt une amatrice de vin rouge, dès qu'on me l'a fait goûter, je l'ai tout de suite apprécié ! déclara Camille avec enthousiasme.

Amélie ne put se retenir, malgré le risque de voir sa copine s'enfermer dans un pesant mutisme ; l'occasion était trop belle. Un sourire espiègle accompagna sa remarque.

— Tiens, revoilà « on » !

Sabine, gênée, plongea son regard dans la carte des menus.

Camille ne dit rien, Amélie poursuivit.

— Tu en es où avec monsieur « on » ? Vous avez décidé quelque chose ? Et ne nous ressers pas ton fameux : « On s'est connus au lycée, puis on s'est retrouvés vingt-sept ans après et nous vivons un truc génial… et bla-bla-bla ! »

Camille tapotait nerveusement le rebord du cendrier pour faire tomber les dernières cendres de sa cigarette.

— Que voulez-vous que je vous dise ? Vous savez déjà tout ! répondit-elle tout en baissant les yeux.

Camille et Stephen s'étaient en effet connus au lycée Grand Air d'Arcachon alors qu'ils n'avaient que seize ans. Ils vécurent un amour d'adolescents avant que chacun fasse sa vie de son côté, oubliant leur amourette. Du moins, c'est ce qu'ils croyaient.

Après vingt-sept ans de silence, Camille, un matin, découvrit un message où Stephen lui proposait de la revoir. Il y était noté « *Seulement si tu en as envie...* » : l'exacte expression qu'il utilisait si souvent lorsqu'il n'était qu'un jeune homme attentif aux moindres désirs d'une fille un peu trop sûre d'elle.

Stephen avait toujours gardé au fond de lui le secret espoir de voir renaître leur amour. Son existence d'époux puis de père l'avait rendu heureux, mais persistait le souvenir de Camille qui revenait bien trop souvent, malgré les années qui défilaient. Après le décès accidentel de sa femme, Stephen vécut une période difficile. Pour se protéger, il construisit alors son monde autour de Kayla, sa fille, et de ses deux librairies, l'une à Paris, l'autre à Londres.

Ce n'est que lorsqu'il se sentit assez fort qu'il se décida enfin à contacter cette jeune fille aux cheveux bruns et aux yeux vert émeraude, devenue une épouse et une avocate accomplie. Il craignait qu'elle le rejette, mais qu'importe, il était prêt à prendre le risque de la voir s'éloigner pour toujours.

Camille, d'abord surprise par un tel message, laissa rapidement ressurgir le souvenir de ce jeune homme à l'accent anglais qui la faisait tant rire.

Elle se souvint avec émotion de leurs longues balades sur le sable brûlant de la dune du Pilat et de leurs soirées, blottis l'un contre l'autre, à contempler les lumières du Cap-Ferret depuis la plage Pereire.

Contrairement à Stephen, elle n'avait jamais imaginé qu'ils se reverraient un jour, même si la nostalgie l'envahissait quand elle se rappelait le passé.

Durant toutes ses années parisiennes, elle avait souvent repensé à son enfance à Arcachon ; c'était un lieu qui l'apaisait. Elle s'y sentait bien et y séjournait régulièrement au cours des vacances avec Richard, son mari, Vanessa et Lucas, ses deux enfants.

Son père était décédé depuis près de vingt ans, sa mère y vivait encore, mais leurs relations n'avaient jamais été ce qu'elle aurait espéré.

Ce que Camille n'avait pas prévu, c'est que les souvenirs et les sentiments que l'on croit bien enfouis sont parfois plus forts que le temps qui passe. Elle n'avait pas oublié Stephen, son esprit cartésien l'avait simplement rangé au fond de sa mémoire. Et il avait suffi de six mots, « *Seulement si tu en as envie...* », pour que toutes ses défenses tombent une à une jusqu'à se donner à cet homme qui l'attendait depuis près de trente ans.

Elle aurait pu lutter et ne pas sombrer dans ce qu'elle détestait le plus : la trahison. Même si sa vie de femme avec Richard n'était plus, depuis bien longtemps, conforme à ses attentes, Camille n'aurait jamais imaginé s'abandonner dans les bras d'un autre homme. Mais pouvait-elle lutter contre ce qui était plus fort qu'elle : un lien comme il en existe peu ?

Camille avait longtemps résisté, refusant de céder à ce qu'elle avait toujours critiqué chez les autres : la faiblesse des sentiments.

Stephen, même s'il espérait qu'elle succombe, lui avait laissé la liberté de choisir, liberté qui s'imposa avec une implacable évidence : elle succomba.

Mais quand elle comprit que l'amour qu'elle éprouvait pour Stephen n'avait jamais disparu et qu'il prenait bien trop de place, elle décida de rompre pour se protéger de cette passion qui semblait tout engloutir sur son passage.

Pourtant l'oubli n'était pas possible, les liens qui les unissaient étaient plus forts que la raison. Camille et Stephen souffraient de l'absence de l'autre et ne tardèrent pas à redevenir des amants passionnés.

**

Sabine, elle aussi, savait que le sujet était particulièrement délicat. Elle s'exprima avec prudence.

— Combien de temps déjà ?

— Six mois, précisa Camille, sûre d'elle.

Un long silence s'installa, ni Amélie ni Sabine n'osèrent poursuivre leur interrogatoire. Jusqu'à présent, chacune de leurs tentatives s'était soldée soit, au mieux, par de longues hésitations, soit, au pire, par un sac et une veste vite récupérés, et un départ précipité avant que Camille les inonde de SMS pour s'excuser.

Le serveur venait de déposer sur la table trois verres à pied ainsi que la bouteille de rosé bien calée dans un seau à glace. Découvrant l'ambiance pesante, il ne put s'empêcher d'intervenir.

— Eh ben, pour un enterrement, j'ai quelque chose de plus fort si vous désirez ?

Aucune réaction, il continua sur le même ton.

— Quand vous aurez fait votre choix, je vous apporte les plats ou vous préférez qu'ils prennent directement la direction de la poubelle ?

Camille lui sourit.

— Je ne te ferai pas ce plaisir, je compte bien déguster tes fameuses aiguillettes de canard au miel !

Malgré le brouhaha qui régnait au bar, Alain entendit très bien le soupir de soulagement d'Amélie et de Sabine. Il saisit la bouteille de rosé, l'entoura d'une serviette de coton blanc afin d'éponger le ruissellement des gouttes d'eau glacées et servit les trois amies.

Camille leva son verre et invita ses copines à en faire autant. Alain, soulagé de constater que l'atmosphère se détendait, se dirigea vers le comptoir où l'attendaient d'autres commandes.

Les trois verres étaient déjà vides et personne n'avait encore prononcé le moindre mot. Les deux amies n'attendaient qu'une chose : que Camille s'exprime enfin.

— Alors les filles, vous en pensez quoi ? demanda-t-elle tout en les resservant généreusement.

— Ça suffit, ça suffit ! s'écria Sabine en lui signifiant d'un geste de la main de ne pas insister.

Camille but son deuxième verre avec autant de rapidité que le premier.

— Vas-y doucement, quand même ! murmura Amélie.

Camille fit tourner son briquet entre ses doigts et alluma une nouvelle cigarette. Elle paraissait nerveuse.

— Il faut bien ça, puisque vous désirez tout savoir sur mes intentions avec monsieur « on ».

— Ce n'est pas la peine de vider la bouteille. Si tu ne veux rien dire, nous respectons ton choix.

Elle répondit avec calme et retenue :

— Vous en savez déjà beaucoup, non ? D'abord, il s'appelle Stephen, je vous rappelle !

Alors soyez sympas les filles, plus de monsieur « on » ou autres surnoms dont vous avez l'habitude : Stephen !

Amélie et Sabine échangèrent un regard de satisfaction. Camille était prête à leur en dévoiler un peu plus. Avec son espièglerie habituelle, Amélie se lança sans retenue.

— Et tu comptes faire quoi avec monsieur « on », pardon… Stephen ?

Camille tritura nerveusement son paquet de cigarettes.

— Que veux-tu dire ?

Elle savait exactement ce que voulait dire son amie, mais elle ne trouva rien d'autre à répondre, regardant à droite et à gauche comme si elle cherchait de l'aide pour avouer qu'elle se trouvait dans une situation qu'elle avait toujours jugée critiquable quand il s'agissait… des autres.

Sabine saisit son bras et poursuivit :

— Tu ne peux pas continuer de la sorte !

Camille se raidit.

— Non… enfin… c'est compliqué, balbutia-t-elle.

— Richard ne se doute de rien ?

— Je ne pense pas, j'en suis sûre même, affirma-t-elle. Ça fait bien longtemps qu'il ne se soucie plus de moi, alors mes états d'âme…

— Tu es dure avec lui, ce n'est peut-être pas l'homme idéal, mais il est là, solide, présent. Il s'investit énormément dans le cabinet.

Camille hocha la tête et déclara, narquoise :

— Passionnant, vraiment passionnant…

— Écoute, tu ne peux pas tout avoir : le mari, l'amant, les enfants...

Amélie ne put terminer sa phrase.

— Stop !

— Quoi, stop ?

— Stephen n'est pas mon amant, je ne supporte pas ce mot ! s'agaça Camille.

— Ah bon, ce n'est pas ton amant ? Et tu appelles ça comment : ton compagnon de cours de tricot ? ironisa Amélie.

— Tu n'es pas drôle !

— Peut-être, mais admets que tu te mens à toi-même.

— Non ! martela Camille.

— Non ? Il faudrait que tu nous expliques, alors.

— Stephen n'est pas mon amant, c'est autre chose. Je me sens vivante quand je suis avec lui. Je me sens...

Elle tergiversa.

Les coudes sur la table, le menton posé sur la paume de leurs mains, Amélie et Sabine attendaient impatiemment la suite.

— Tu te sens quoi ?

Alors que le serveur déposait leurs commandes devant elles, Camille se lança dans une surprenante confession.

— Je sais que notre histoire peut paraître d'une extrême banalité : deux adultes, un homme libre, une femme mariée qui par lassitude succombe au charme grisonnant d'un sosie de Simon Baker. Je sais tout cela, mais il n'en est rien. Les moments que nous passons ensemble ne sont pas des instants volés à ma vie sentimentale devenue trop monotone. Il ne s'agit pas non plus de toutes ces conneries que nous racontent les psychiatres qui pensent que le manque de tendresse se remplace par des chèques de cinquante euros que l'on rédige, une fois par semaine, à un homme bien calé dans son fauteuil et qui n'a pour seule conversation que des « Je vous écoute, madame » !

Camille s'arrêta un instant, seul le bruit des couverts se faisait entendre. Amélie, d'habitude si joviale, avait perdu son sourire. Elle découvrait une profonde sincérité dans les propos de son amie, qui poursuivit :

— Vous pouvez me juger comme bon vous semble, ne pas me croire quand je vous affirme que ce que je vis avec Stephen va au-delà de tous les raisonnements logiques. Vous voyez, je suis persuadée que...

Elle n'osa pas continuer, presque honteuse à l'idée d'exprimer sa pensée. Sabine insista, Camille finit par lâcher :

— Eh bien, ça va vous paraître fou, mais je crois que même si Richard était le prince charmant que l'on attend toutes... cela n'aurait rien changé !

— Comment ça, « rien changé » ? questionna Amélie tout en se délectant de la sauce au miel du magret de canard.

— Non, rien changé ! Stephen serait réapparu et nous aurions vécu notre histoire de la même façon, ou plutôt repris notre histoire là où elle n'aurait jamais dû s'arrêter. Ce n'est pas de l'amour, c'est bien plus que ça : une respiration, une évidence, une folie, une passion... Oui, une passion !

— Mais enfin, Camille... Ça fait si longtemps, c'est impossible !

— Je sais, mais... c'est... comme ça !

— Et tes enfants, tu y penses ?

Elle commença à bafouiller :

— Évidemment que... je m'inquiète pour eux...

Amélie venait de retrouver son franc-parler et dans son style particulier résuma la situation.

— En fait, tu as la belle vie : le mari, les enfants et l'amant ! Ah non, pas l'amant, c'est un mot banni de ton vocabulaire, Stephen ! constata-t-elle, sarcastique.

Camille se tut, son visage se ferma. Elle laissa les derniers morceaux de magret dans son assiette.

— On ne te juge pas Camille, mais... il va bien falloir que tu prennes une décision ! lui conseilla Sabine.

— Oui !

— Oui, quoi ? insista Amélie.

— Oui, l'aimer !... Et puis... allez, on n'en parle plus, commandons les desserts, j'ai encore faim !

Tout en fixant du regard l'ardoise murale listant les coupes glacées, Amélie ne put se retenir.

— Ben ma vieille, t'es dans une sacrée merde !

Camille se rembrunit aussitôt et se servit un dernier verre de « Grain d'amour ».

2
Si cet amour existe...

Si cet amour existe, peut-être est-ce seulement dans mes rêves ? Dans l'oubli des nuits qui n'en finissent pas lorsque tu n'es pas dans mes bras.

Si cet amour existe, peut-être a-t-il été créé uniquement pour nous ? Bercés par l'illusion que nous sommes seuls sur cette Terre à pouvoir le vivre.

Si cet amour existe, peut-être que nous ne lui survivrons pas ? Terrifiés à l'idée de le voir s'éteindre avant nous.

Si cet amour existe, alors ne me réveille pas, laisse-moi croire que les rêves ne s'envolent pas au petit matin.

En cette fin de matinée du mois de juin, Paris baignait dans une atmosphère inhabituellement calme. Sans aucun doute le résultat d'une semaine de soleil ininterrompue, qui rappelait aux Parisiens que les vacances et leurs moments d'évasion n'allaient plus tarder.

Les coups de klaxon et les démarrages rageurs des automobilistes se faisaient moins nombreux. Quelques piétons se surprenaient même à quitter des yeux leur Smartphone ou leur journal et regardaient devant eux, croisant, au hasard de leur trajet, d'autres visages, d'autres sourires.

Camille avait rendez-vous avec Stephen à *Des mots et des maux*, sa librairie parisienne située dans le quartier du Marais. Comme chaque fois, elle avait prétexté un déjeuner professionnel. Elle regarda l'heure sur son iPhone, il indiquait 11 heures. Elle referma le dossier sur lequel elle était en train de travailler.

Il s'agissait d'une affaire difficile qui l'occupait depuis plus d'une semaine. Un industriel céréalier, M. Durontin, un vieil ami de sa belle-famille et surtout un important client du cabinet, n'avait rien trouvé de mieux que de confier ses déclarations fiscales à un comptable véreux qui, sous la pression de quelques liasses de billets, transmettait régulièrement au principal concurrent du groupe Durontin des informations confidentielles.

Le dossier était délicat, car si les industriels se font une concurrence féroce et sont prêts à dégainer leur horde d'avocats au moindre accroc, ils ne sont pas très chauds à l'idée de voir les détails de leurs activités transmis à la justice.

Camille avait l'habitude de ce type de problématique où son travail de conseil relevait plus des prouesses d'un équilibriste que d'un véritable souci de recherche de la vérité.

Un nouveau juge en charge du dossier avait été nommé au tribunal, et la demande d'audience qu'elle sollicitait pour la deuxième fois venait de lui être refusée. Elle n'aimait pas plaider des dossiers qu'elle ne maîtrisait pas parfaitement, et la date du procès approchait.

Camille doutait souvent et s'inquiétait au moindre souci dans sa vie personnelle, alors que dans son activité professionnelle, elle faisait preuve d'une totale confiance en elle. Elle était connue dans les couloirs des palais de justice pour son efficacité en partie due à une absence totale de sentiments. Qu'importait l'adversaire, elle l'écrasait et l'essorait aussi intensément que possible, à la grande satisfaction de ses clients. Mais aujourd'hui, cette affaire l'inquiétait et cela la rendait inhabituellement fébrile.

À plusieurs reprises, ces derniers jours, elle avait fait part de son inquiétude à Stephen. Il lui avait alors proposé de reporter leur déjeuner afin qu'elle puisse consacrer tout son temps à l'étude du cas Durontin. Il n'en était pas question : cela aurait créé un précédent dont elle ne voulait pas. Son choix était parfaitement déraisonnable, mais c'était comme tout ce qui concernait son histoire avec Stephen : la mesure n'existait pas.

Depuis le début de la matinée, elle travaillait dans une semi-pénombre, ambiance qui lui convenait parfaitement lorsqu'elle devait se concentrer. Elle s'approcha d'une des fenêtres de son bureau et tira les rideaux pour laisser passer la lumière. Du haut de son deuxième étage, elle pouvait voir les piétons déambuler dans les larges allées du jardin du Luxembourg. À l'ombre des marronniers centenaires, les bancs étaient occupés par des lecteurs, des étudiants allongés, la tête appuyée sur leur sac à dos, et quelques solitaires plongés dans leurs rêveries.

Elle posa son front contre la vitre. Elle pensait à Stephen qui, juste avant leurs retrouvailles, guettait sa sortie derrière les haies du jardin, n'osant pas l'aborder. Elle avait envie et besoin de le voir. Cet homme, revenu d'un lointain passé, avait bouleversé son existence. Elle se demandait parfois ce qui arriverait dans un mois, un an peut-être... L'usure du temps ne serait-elle pas, comme souvent, le plus bel enterrement de leur amour, un amour qui s'efface peu à peu des mémoires sans que ni l'un ni l'autre des amoureux fous d'hier ne se rende vraiment compte de ce qui se passe ? Elle imaginait alors ce matin où elle se réveillerait et où, peut-être, l'envie de revoir Stephen serait moins présente, le besoin de sa peau moins urgent. Mais chaque fois que le doute l'envahissait, elle fermait les yeux et s'envolait en direction de la dune du Pilat et des plages

d'Arcachon, là où leur histoire avait commencé.

— Excusez-moi Camille, vous n'avez pas
oublié votre rendez-vous ?

Perdue dans ses pensées, elle n'avait pas
entendu son assistante frapper à la porte du
bureau.

— Oui Claudia, pardon... Qu'y a-t-il ?

— Votre rendez-vous, vous ne l'avez pas
oublié ?

— Non, bien sûr, merci ! Mais quelle heure
est-il ? demanda-t-elle tout en regardant l'écran
de son ordinateur. 11 h 45, oh non ! Je suis
déjà en retard !

Camille souhaitait parler du dossier Durontin
à son mari afin d'avoir son avis sur ce nouveau
juge avec lequel il avait été en contact récemment. Elle devait absolument voir Richard
avant la fin de la matinée, car il plaidait pour
plusieurs jours et à partir de 14 heures il serait
invisible jusqu'à la fin de la semaine.

— Mon mari est toujours là ? s'enquit-elle
auprès de Claudia.

— Bien sûr ! lui assura son assistante.

— Très bien, je dois discuter avec lui avant
de me rendre à... mon rendez-vous.

Elle se dirigea à grandes enjambées vers
le bureau de Richard, tout en rédigeant

rapidement un SMS à l'attention de Stephen pour lui signifier son retard.

> Désolée, je ne serai là que vers 13 h.
> À plus… de toi !

Arrivée près d'Isabelle, l'assistante de son époux, elle ralentit le pas, le regard braqué sur l'écran de son iPhone. Elle espérait une réponse rapide de Stephen ; elle se sentait coupable de ne pas pouvoir honorer l'heure de leur rendez-vous. Ce n'était pas la première fois, mais aujourd'hui, sans savoir réellement pourquoi, un mauvais pressentiment l'envahissait.

— Comment allez-vous Isabelle ? Mon mari est seul ?

— Oui, il compile ses dossiers pour la plaidoirie de cet après-midi.

— Je dois lui parler du dossier Durontin, dit Camille en frappant à l'épaisse porte de bois verni.

Et, sans attendre de réponse, elle pénétra dans le bureau.

Richard, concentré sur les comptes rendus d'audiences préliminaires, ne parut pas surpris. Il regarda sa femme furtivement et se replongea sans un mot dans sa pile de documents.

— J'aurais besoin de ton aide, murmura-t-elle, serrant contre sa poitrine une épaisse chemise bleue.

Richard eut un sourire en coin, ce qui eut pour effet d'agacer Camille.

— Pourquoi ris-tu ?

— Je ne ris pas, je souris, précisa-t-il ironiquement.

— Richard, ce n'est pas le moment, ce dossier me stresse, fit-elle, contrariée. Tu le connais par cœur, j'ai vraiment besoin de ton aide sur quelques points précis.

— Je t'avais prévenue, les industriels sont coriaces, ça te change de tes politiques, ironisa-t-il une nouvelle fois.

Au niveau professionnel, les accrochages entre Camille et Richard étaient très nombreux. Au cours des années, leurs relations de travail avaient évolué jusqu'à prendre la forme d'un concours quasi permanent sur leurs taux de réussite respectifs dans les affaires que chacun acceptait de défendre. Cette façon de fonctionner présentait l'avantage de stimuler leurs motivations, assurant du même coup l'éclatante santé du cabinet.

Dans leurs activités, ces relations tendues mais efficaces leur procuraient donc une forme d'équilibre, tandis qu'à leur domicile de Saint-Rémy-lès-Chevreuse le silence régnait souvent en maître. Ils avaient dépassé le stade des tensions, la lassitude et l'incompréhension s'étaient insidieusement installées, le dialogue était devenu presque inexistant.

Richard n'avait jamais été un adepte des confidences et des remises en cause. C'était sans doute le résultat de l'éducation trop rigide de Maryse et Maxime, ses parents, qui n'avaient eu pour leurs trois fils qu'un seul et unique but : la réussite scolaire afin d'intégrer les meilleures universités.

Richard et Eymeric, son frère aîné, s'étaient conformés aux règles parentales. À plus de quarante ans, ils étaient toujours sclérosés dans leurs habitudes d'enfants obéissants. En revanche, Evan, le frère cadet, avait pris la décision de faire exploser ce carcan étouffant dès l'âge de dix-huit ans, juste après l'obtention de son baccalauréat. Il vivait désormais avec Kalynia et leurs jeunes jumeaux, Théo et Anton, une vie de saisonnier dans les restaurants de la côte languedocienne. Ils étaient parfaitement épanouis et en total décalage avec les habitudes de la famille Mabrec. Malgré cela, les trois frères prenaient plaisir à se retrouver au moins deux fois par an au cours des réunions familiales qu'organisaient Maryse et Maxime aux *Vieux Tilleuls*, la propriété familiale située dans la région céréalière de la Beauce.

Richard, à sa façon, aimait sa femme. « À sa façon »... Pour Camille, le problème était là ! Il avait une conception des sentiments si étriquée que quelques années de mariage avaient suffi pour qu'elle n'hésite plus à lui faire part de son mal-être. Discussions qui se déroulaient inlassablement de la même manière : Richard lui expliquait qu'il l'aimait, qu'elle avait une vie confortable, de l'argent, la santé, deux enfants superbes et qu'il ne comprenait pas ce manque de tendresse et de renouveau qu'elle exprimait pourtant avec conviction.

Avec le temps, Camille s'était résignée. Elle se focalisait sur ses enfants, essayant de dégager, lorsque ses occupations professionnelles le lui permettaient, le maximum de temps pour Vanessa et Lucas. Peut-être, comme son mari le lui laissait penser, son besoin d'affection et de complicité n'était-il que le témoignage d'un caractère trop sensible ? Elle se disait alors qu'elle était sans doute trop exigeante... Jusqu'à ce que Stephen réapparaisse dans sa vie et lui prouve que la passion qu'elle recherchait existait ! Que l'amour, le vrai, se vit toujours dans l'excès du besoin de l'autre.

— Alors, que se passe-t-il avec notre ami Durontin ? demanda Richard. Tu sais qu'il s'agit d'un très gros client et d'un ami personnel de mes parents, donc je n'ai pas besoin de te préciser que ce procès, tu dois absolument le gagner ! D'abord pour le cabinet et puis pour mes...

Camille leva les yeux au ciel et l'interrompit.

— Pour tes parents, je sais.

— Ne le prends pas sur ce ton ! s'énerva Richard.

— Comme tu le dis, c'est primordial pour l'image du cabinet et... pour tes parents.

Richard, exaspéré, préféra ne pas poursuivre cette conversation stérile qui n'allait pas tarder à tourner au règlement de comptes familial.

— Revenons à l'essentiel. Quel est le souci ?

Camille décida, elle aussi, de ne pas insister et se concentra sur le dossier qui la préoccupait.

— En fait, tout se résume à un seul problème : le nouveau juge en charge de l'affaire refuse obstinément de me recevoir. Certains points du dossier sont flous, Durontin reste très vague sur quelques flux financiers qui me paraissent délicats à défendre. J'aimerais avoir le sentiment du juge à ce sujet.

— Effectivement, il serait préférable de négocier avant, plutôt que de voir le dossier nous exploser à la figure lors de l'audience.

— Oui, mais impossible de le voir !

— Renouvelle ta demande.

— C'est fait, j'ai reçu un nouveau refus de sa part !

Richard se frotta le menton, il paraissait soucieux.

— Écoute, j'en fais mon affaire. Je vais passer un ou deux coups de fil, ça devrait se débloquer. On en parle ce soir à la maison.

Camille parut soulagée.

— Merci ! lança-t-elle en sortant.

— De rien...

Il sembla hésiter avant de préciser :

— Je sais que tu... traiteras parfaitement cette affaire.

Elle le remercia à nouveau.

— C'est gentil !

Richard ne répondit pas et, tout en se replongeant dans ses notes, marmonna un inaudible : « Bonne chance. »

Camille déposa rapidement son dossier sur le clavier de son ordinateur. Elle enfila sa veste, prit son sac et vérifia son iPhone : toujours aucun message de Stephen. Elle avait plus d'une heure de retard. Elle hésita. Devait-elle annuler comme il le lui avait proposé ? Elle s'autorisa quelques secondes de réflexion et se dirigea vers le miroir des toilettes.

Elle se recoiffa, tira un trait d'eye-liner sur ses paupières et redessina avec application ses lèvres à l'aide d'un gloss rose pâle. Sa décision était prise, malgré le retard elle ne pouvait résister. Au diable Durontin et ses malversations, ça pouvait attendre encore un peu.

— Je serai de retour vers 15 heures, lança-t-elle tout en ouvrant la large porte d'entrée donnant sur le palier.

— Très bien Camille, répondit Claudia, qui était en train de faire réchauffer son repas.

Camille descendit rapidement les deux étages, ses talons claquant sur les larges marches de marbre.

Elle se dirigea jusqu'à la station Saint-Sulpice. Une dizaine de minutes plus tard, elle descendait du métro Châtelet-les-Halles et accélérait le pas pour traverser le boulevard Sébastopol en direction de la rue du Temple. La librairie *Des mots et des maux* était située au fond d'une impasse pavée. Elle ralentit sa marche, sa respiration s'apaisa. Camille connaissait par cœur cet endroit.

Stephen était désormais un homme accompli, sûr de lui, même si la vie ne l'avait pas épargné. Il avait perdu sa femme quinze ans auparavant dans un terrible accident de la route. Ils étaient en instance de divorce et Kayla, qui n'avait que neuf ans, l'avait alors rendu quasiment responsable du décès de sa mère. Stephen avait d'abord sombré dans une profonde dépression lors d'une longue et douloureuse convalescence, suite aux séquelles physiques de l'accident. Avec patience et courage, il s'était peu à peu reconstruit grâce à l'aide de ses parents et à la force que lui insufflait sa fille qui, en grandissant, avait compris que son père n'était pour rien dans la mort de sa maman.

Camille avait retrouvé le jeune homme qui avait su la toucher par sa fragilité presque maladive, mais il avait changé et Camille aimait l'homme qu'il était devenu. Il avait conservé cette sensibilité qui le rendait si attachant, mais il avait gagné de l'assurance. Stephen avait toujours le mot juste pour lui redonner confiance, la séduire jour après jour et la faire rêver, intensément rêver, sans doute parfois trop. C'était comme une fuite en avant qui les engloutissait dans une dévorante passion. Mais un jour ou l'autre, ce lien exclusif qu'ils vivaient comme deux ados contrariés par la vie ne se confronterait-il pas à la réalité, celle qui ne laisse que peu de place aux rêves de jeunesse ?

Camille n'y pensait pas ou, plus exactement, elle évacuait cette pensée chaque fois que le doute s'immisçait dans son esprit. Elle s'évadait de son quotidien avec facilité et presque désinvolture. Avec Stephen, elle vivait une forme de parenthèse interdite par les conventions. Elle savait qu'un jour la vie se chargerait de la remettre sur le chemin qu'elle n'aurait jamais dû quitter, celui de la femme d'affaires efficace, de la mère de famille irréprochable et de l'épouse faussement épanouie. Mais peu lui importait, elle reculait, jour après jour, l'instant où elle devrait choisir. Le moment où elle ne serait plus ni la Camille à la sortie du lycée Grand Air d'Arcachon ni cette adolescente effrontée qui grimpait la dune du Pilat jusqu'à en perdre haleine, la main bien serrée dans celle d'un jeune homme à l'accent anglais. Non, elle ne serait plus celle qui s'écroulait exprès dans le sable chaud et qui, de son regard vert puissant, fixait Stephen dans les yeux en sachant qu'elle aurait pu tout lui demander et qu'il aurait tout accepté.

Stephen, quant à lui, n'avait jamais oublié Camille. Il avait longuement hésité à la recontacter de peur qu'elle ne l'ait définitivement rangé dans les oubliettes du passé. Il n'en était rien, il en fut le premier surpris et vivait, avec elle, des moments d'une rare intensité. À la différence de Camille, il n'éludait pas les questions qui l'assaillaient sur leur avenir. Il se demandait même quelquefois s'ils en avaient un, si la passion n'est pas faite pour naître, vivre et mourir, laissant chacun dans l'absence cruelle de l'autre.

Stephen n'aimait pas Camille, c'était bien plus que cela. L'aimer, ce serait penser à elle, imaginer la retrouver, croire que la vie s'écoulerait doucement dans ses bras... Non, ce n'était pas tout cela. Il vivait cette histoire dans l'urgence, chacune de leurs rencontres était rythmée par la peur que tout s'arrête, la crainte que ce soit la dernière fois qu'il ressente la douceur de sa peau, la chaleur de sa présence.

D'une certaine façon, Camille, elle, s'épanouissait dans cette relation. Elle avait retrouvé sa féminité et son pouvoir de séduction. Elle avait, malgré le risque que tout s'arrête, redécouvert que la porte du bonheur était entrebâillée.

Stephen, en revanche, se sentait de plus en plus à l'étroit. Il vivait intensément tous les instants que la vie leur offrait, mais il était de plus en plus mal à l'aise. Il craignait de la perdre, il savait que leur avenir était compté, car une passion ne se vit pas à coups de rendez-vous et sans projets d'avenir.

Camille s'arrêta un instant dans l'impasse pavée. Face à elle, la librairie de Stephen, dont il avait enfin consenti à faire repeindre la devanture, après avoir taillé l'épaisse glycine qui envahissait les murs et assombrissait l'intérieur de *Des mots et des maux*.

L'atelier de peintre situé à gauche de l'impasse proposait depuis quelques semaines les œuvres d'un nouvel artiste, un ami de Kayla, Gavin, qui souhaitait tenter sa chance dans la capitale parisienne. Il travaillait dans le même style que la fille de Stephen : la peinture figurative. Camille s'arrêta devant les tableaux exposés à l'extérieur de la boutique. Son regard fut attiré par une toile représentant une plage de l'Océan qu'elle crut reconnaître. Gavin s'approcha et l'interpella.

— Elle vous plaît ? Je vous observe et vous ne l'avez pas quittée des yeux !

— Oui, elle me rappelle ma… jeunesse.

— Votre jeunesse ? Mon Dieu, elle ne doit pas être très loin, votre jeunesse ! s'autorisa Gavin dans un français parfait.

Flattée, mais consciente de sa quarantaine qui s'égrenait, Camille répliqua avec amusement :

— Merci, mais je pense que vous pourriez être mon fils, donc je confirme... il me rappelle ma jeunesse !

Gavin se mit à rire.

— Une jeune maman alors !

— Je vous l'accorde ! Vous devez être un ami de Kayla ? demanda-t-elle tout en détachant enfin son regard du tableau.

— *Yes, of course !*... Pardon, oui, bien sûr ! Et vous, vous devez être Camille ?

Elle fronça les sourcils d'étonnement.

— *Yes, of course !* s'amusa-t-elle. Mais comment le savez-vous ?

— Eh bien, j'ai un voisin qui a... comment dire en français... un discours un peu répétitif, c'est correct ?

Elle éclata de rire. Elle ne sentit pas Stephen qui s'approchait. Il la saisit par la taille et l'embrassa dans le cou. Elle bascula sa tête en arrière tout en fermant les yeux.

— Tu aimes le tableau ? s'enquit-il.

— Oui, ça me rappelle chez moi, enfin l'Océan, fit-elle en caressant la joue de Stephen.

— C'est normal, c'est chez toi ! affirma-t-il.

— J'en étais sûre ! Ce sont les dunes de Lacanau... C'est bien ça, non ?

— *Yes !* s'écria Gavin, ravi.

— Vous y avez déjà séjourné ? Les détails sont saisissants de réalité.

— Quelques jours... Kayla m'a fait découvrir la région.

— Une superbe région ! À bientôt j'espère. Vos toiles sont vraiment magnifiques.

— Merci !

Le regard de Camille se porta une nouvelle fois sur l'image de l'Océan bordé par les dunes, puis elle se dirigea vers la librairie.

Stephen s'attarda quelques instants avec Gavin, lui demanda d'emballer la toile et de l'offrir à Camille quand elle sortirait de *Des mots et des maux*. Il était presque sûr qu'elle voudrait revoir le tableau tout à l'heure, après leur rendez-vous. Sans doute par nostalgie...

Puis il se hâta de la rejoindre devant la porte de la boutique.

Il posa sa main sur le loquet, elle ne put attendre d'être à l'intérieur, elle entoura le visage de Stephen de ses mains et l'embrassa longuement.

— On entre ? dit-il avec un sourire moins éclatant que d'habitude.

— Bien sûr ! Mais dis-moi, tu as l'air étrange. Quelque chose ne va pas ?

Stephen tenta de la rassurer, mais ses mots sonnèrent faux.

— Ça va, ça va, ne t'inquiète pas !

— Tu en es certain ? insista-t-elle.

Il se déroba...

— Des fournisseurs qui sont en retard dans leurs livraisons et des clients qui annulent leurs commandes, les soucis du boulot, rien de plus. Et toi, ton dossier... Moplontin, c'est ça, non ?

— Mo-plon-tiiin, tu me fais rire avec ton accent ! Durontin, Stephen ! Durontin, répéta-t-elle.

— Oui, peut-être, enfin peu importe, ça se passe mieux ?

— Pas vraiment, mais je ne suis pas ici pour parler de mes dossiers ! Ferme donc la porte, chuchota-t-elle tout en lui mordillant le lobe de l'oreille.

— Camille, je voudrais...

— Chut... ferme la porte, répéta-t-elle, enjôleuse.

Il aurait souhaité lui parler de leur avenir et de toutes ces questions qui le hantaient, mais, une fois de plus, il ne put résister.

Camille prit la main de Stephen, la glissa sous son chemisier de soie et la posa sur son ventre. Elle voulait qu'il sente sa respiration s'accélérer. Il ne bougeait pas, Camille déboutonna son chemisier. Leurs regards ne se quittaient pas, chacun dans ce désir presque animal, dans cette forme de dépendance du besoin de l'autre. Les lèvres de Stephen se perdaient dans la poitrine de Camille, qui ferma les yeux, releva la tête et plaqua sa nuque contre le mur de livres près du salon. Elle dégrafa sa jupe, qui glissa jusqu'au sol. Stephen tenta de l'allonger sur un des fauteuils, elle refusa.

— Non, reste comme ça, debout ! Reste contre moi, imposa-t-elle, levant une jambe et l'enroulant sur les fesses de Stephen. Elle le voulait collé à elle.

Stephen abdiqua, les désirs de Camille devenaient des ordres. Il la souleva en la saisissant sous les cuisses. Camille, les mains accrochées à la dernière étagère, enserra la taille de son amant de ses deux jambes, cette fois ; elle le bloquait et ne lui autorisait que de petits mouvements pour faire durer leur plaisir. Mais leur satisfaction ne tarda pas à éclater. Ils ne bougèrent plus. Camille caressa les épaules de Stephen, qui ne l'avait pas lâchée et alla la déposer sur un des fauteuils de la pièce. Ils restèrent un moment sans prononcer une parole, continuant de se caresser avec des gestes lents et tendres.

— Tu veux un thé ? proposa-t-il enfin.

Camille acquiesça d'un signe de tête. Toute cette tension accumulée depuis plusieurs jours venait de s'envoler. Sereine, elle dévisageait Stephen.

— Pourquoi me regardes-tu comme ça ? lui demanda-t-il.

Elle plia les jambes et posa son menton sur ses genoux.

— Parce que c'est beau, un homme torse nu qui prépare du thé !

— Camille, arrête, s'il te plaît !

Elle se leva pour venir se coller à nouveau contre lui, mais elle le sentit se raidir. Elle desserra son étreinte, son inquiétude se confirmait.

— Qu'y a-t-il, Stephen ?

Il hésita et commença par bafouiller :

— Ce n'est pas facile, comment dire... nous deux...

Elle écarquilla les yeux et ne put se retenir d'exprimer son appréhension.

— Tu me fais peur !

— Je voudrais que nous...

Elle l'interrompit sèchement.

— C'est comme ça qu'on dit : « Je ne veux plus te voir », en anglais ? lança-t-elle, acide.

— Camille, arrête, s'il te plaît. Comportons-nous en adultes !

Elle se rhabilla et se saisit du mug de thé tout en se dirigeant vers le fond de la librairie. Le nez contre la baie vitrée de la véranda, elle attendit...

Stephen s'approcha, il mesura ses mots, mais resta ferme sur ce qu'il souhaitait dire.

— Cette fois-ci, laisse-moi terminer ma phrase ! lui imposa-t-il. Je voudrais que nous parlions de notre avenir, nous ne pouvons pas continuer ainsi.

Elle se retourna et planta ses yeux dans les siens. Son regard était glacial, son ton fut narquois.

— C'est un juste retour des choses !

— Que veux-tu dire ?

Quelques mois auparavant, alors qu'ils vivaient leur passion, Stephen avait déjà demandé à Camille de faire un choix quant à leur avenir. Elle avait alors, dans une infinie souffrance, pris la décision que lui imposait la raison : le quitter et reprendre sa vie là où elle l'avait laissée. À partir de cet instant, elle avait retrouvé la monotonie du temps qui passe, et la déprime l'avait envahie. Inconsciemment, elle n'espérait qu'une chose : que Stephen lui fasse un signe pour succomber à nouveau. C'est ce qu'il fit en lui écrivant la plus belle des déclarations : leur histoire. Il rédigea *Le Manuscrit inachevé*, où seul le dernier chapitre n'était fait que de pages blanches. C'était à Camille d'en écrire la fin. Elle en fut bouleversée et ne tarda pas à retomber dans ses bras. Ils reprirent alors leur relation comme ils l'avaient laissée : dans l'insouciance et la passion.

— Il y a quelques mois, c'est moi qui t'ai quitté dans ce café sordide de la gare du Nord !

— Nous vivons quelque chose de rare, Camille, je ne veux pas te perdre. Mais admets que la situation ne peut pas durer éternellement comme ça.

Camille répondit tout en se mentant à elle-même :

— Pourquoi ? Nous nous aimons, que veux-tu de plus ?

— Je veux que tu prennes une décision. Nous ne pouvons pas continuer à n'être que des amants perdus au fond d'une impasse. Je désire autre chose, affirma-t-il, le ventre noué par l'angoisse.

Bouleversée, elle se mit à déambuler au hasard des rayons.

— Une décision ! Celle de quitter mon mari et mes enfants ?

— Tu dois y penser ! Nous méritons mieux que ces rendez-vous volés que nous cachons avec le plus grand soin.

Des larmes commencèrent à perler, dessinant une trace de maquillage noir sur le haut des joues de Camille.

— Je comprends, balbutia-t-elle. Tu es en droit d'attendre autre chose de moi, mais je ne sais pas si je suis capable de te l'offrir.

Elle s'approcha et voulut poser son front sur l'épaule de Stephen, mais il recula.

— Tu es libre, Camille, mais c'est à toi de choisir ta liberté !

— Mes enfants, je ne pourrais jamais ne plus les voir chaque matin, déclara-t-elle, le visage rongé par la tristesse.

Stephen avait envie de la prendre dans ses bras, de la consoler, de lui dire que tout se passerait bien, mais il n'en fit rien. Il ne voulait plus de cette vie de plaisirs fugaces.

Elle tenta d'étouffer ses pleurs.

— C'est un adieu ou... murmura-t-elle dans un dernier sanglot.

Stephen résistait, il aurait voulu la serrer contre lui.

— Non, ce n'est pas un adieu, je ne veux pas te perdre. Je voudrais que tu réfléchisses. Donnons-nous un peu de temps.

Pleine de dépit, elle s'écria :

— En somme, tu voulais me voir pour faire l'amour une dernière fois et me virer ensuite comme une malpropre !

Il s'énerva et ses propos dépassèrent sa pensée.

— Camille, arrête de faire l'enfant ! Nous devons absolument prendre une décision ! Dans cinq ans, dans dix ans, tu nous vois là, en train de boire un thé ? Et après que feras-tu ? Ah oui, tu partiras récupérer ton fils à la sortie du collège. Mais non, bien sûr, je suis bête… de la faculté, car le temps aura passé.

Elle était pétrifiée, elle ne reconnaissait plus cet homme qui s'exprimait, pour la première fois, avec une telle virulence. Elle n'osait pas lui répondre, il poursuivit sur le même ton :

— Ce n'est plus possible ! La vie est facile pour toi : en fait, tu as tout ! Ton mari, tes enfants, et moi quand tu en éprouves le besoin. Je suis quoi pour toi ? Tu peux me le dire ? Un amusement, un dérivatif, un souvenir que tu gardes pour les moments de cafard ?

Stephen se retourna, ses gestes étaient brusques. Il s'installa à son bureau et commença à ranger les innombrables factures qui traînaient, éparpillées çà et là. Sans un mot. Camille avait peur, cette âpreté verbale avait provoqué en elle un sentiment diffus de terreur.

Pour s'exprimer avec une telle virulence, il fallait qu'il soit vraiment décidé à rompre !

Elle saisit son sac et sa veste, puis s'approcha avec lenteur de Stephen qui, toujours assis à son bureau, continuait de se taire.

— Je... vais te laisser... Je pense que c'est mieux.

Sa voix était faible, presque inaudible.

Stephen se recula dans son fauteuil et passa sa main à plusieurs reprises dans sa chevelure grisonnante. Il semblait s'être calmé.

— Donnons-nous du temps, qu'en penses-tu ? lui proposa-t-il.

Déboussolée par le comportement de son amant, Camille ne put que murmurer un simple « oui ».

Stephen suivait le fil de sa pensée, il agissait comme un automate, incapable de s'adapter au ressenti de Camille.

— Trois semaines ! Oui, trois semaines, c'est bien !

Que voulait-il dire ? Elle tenta d'en savoir plus.

— Pourquoi dis-tu « trois semaines » ?

D'un geste rapide, il pivota sur son fauteuil et planta ses yeux dans les siens. Ses traits étaient tirés. Les mâchoires serrées, il déclara :

— Laissons-nous trois semaines. Ou plus exactement réfléchis trois semaines et dis-moi ce que tu comptes faire, annonça-t-il d'un ton sec.

Face à cet homme qu'elle ne reconnaissait décidément pas, Camille, de nouveau, ne put retenir son chagrin. Elle était perdue, quelques larmes tombèrent sur le parquet. Stephen ne réagit pas, elle se sentait transparente. Lui assis, elle debout. Ni l'un ni l'autre ne fit l'effort d'un rapprochement.

Alors Camille se dirigea à pas lents vers la porte. Elle balaya la boutique du regard, comme pour mieux fixer dans son esprit cet endroit qu'elle ne reverrait peut-être plus. Elle saisit le loquet, attendant un signe de la part de Stephen.

Il se leva enfin et fit quelques pas dans sa direction. Elle se retourna. Il posa sa main sur la joue de Camille qui, inconsciemment, pencha la tête pour mieux sentir sa peau.

Il réitéra sa proposition, qui résonna comme un ultimatum.

— Trois semaines ! J'attendrai que tu m'appelles.

Dans un dernier geste de tendresse, Stephen essuya les traces de maquillage sous les yeux de Camille avec son pouce. Elle saisit son poignet et écarta sa main de son visage. L'espace d'un instant, leurs doigts s'entremêlèrent. Elle aurait souhaité que ce moment se prolonge, c'était peut-être le dernier, mais il lâcha sa main.

Elle appuya sur le loquet et poussa la porte, qui se referma aussitôt derrière elle.

Dans l'impasse, elle entendit la voix de Gavin.

— Camille, attendez !

Il s'avança et découvrit son visage tailladé par les pleurs.

— Désolé, je ne voulais pas...

Elle leva vers lui ses yeux emplis d'une tristesse infinie.

— C'est pour vous, c'est... la toile que vous regardiez tout à l'heure.

Et il lui tendit, enveloppé dans un papier de protection, le tableau représentant l'Océan et les dunes.

— C'est très gentil, je l'accrocherai dans mon bureau, fit-elle, lui offrant un léger sourire.

— Ce n'est pas moi qu'il faut remercier, c'est Stephen qui m'a demandé de vous l'offrir !

D'un coup, sa main manqua de force, le tableau faillit tomber à terre, mais elle le serra un peu plus fort.

Elle aurait voulu se retourner vers *Des mots et des maux*, mais elle ne le fit pas. Elle salua Gavin d'un simple signe de la tête et reprit son chemin.

3

Ai-je le droit de croire ?

L'amour peut-il vivre dans la routine de l'existence ? Peut-il se contenter d'une habitude, si belle soit-elle ? A-t-on le droit d'aimer en n'ayant à offrir que la lassitude des années qui passent ?

Ai-je le droit de croire que tout cela ne nous arrivera jamais ?

Ai-je le droit de croire que notre amour est immortel ? Car tu es en moi et je suis en toi, et cela, rien ne pourra l'effacer.

Qu'avons-nous fait pour aimer autant ? Qu'avons-nous fait pour souffrir autant ?

Malgré l'urgence du dossier en cours, Camille ne rentra pas à son bureau. Elle erra un long moment au hasard des rues. Lorsqu'elle arriva près de l'île de la Cité où sont installées les boîtes vertes des bouquinistes, elle fit face à la Seine et s'adossa à un muret de pierre. Sa paire de Ray-Ban calée sur le nez, elle leva la tête et resta là un long moment, laissant les généreux rayons de soleil réchauffer son visage.

Les paroles de Stephen tournaient en boucle dans son esprit, un flot de questions la hantait. Au-delà de la tristesse, un sentiment d'incompréhension l'envahissait. Comment Stephen avait-il pu réagir aussi violemment ? Comment ses propos avaient-ils pu être si durs ?

Camille ne voulait toujours pas se l'avouer, mais elle vivait dans une forme de ronronnement qui lui convenait très bien. Elle s'interdisait de penser au choix qu'elle devait faire.

Les mois défilaient et, contrairement à elle, Stephen avait eu le courage de ne pas se cacher la vérité. Il ne supportait plus de vivre cette liaison cachée.

« Trois semaines », ces deux mots tournoyaient inlassablement dans sa tête. L'ultimatum de Stephen était clair, la décision lui appartenait. Saurait-elle être en phase avec ses véritables désirs ? Aurait-elle le courage de sauter dans le vide pour enfin se sentir libre ?

Elle était pour l'instant incapable de répondre à ces questions. Un seul sentiment l'habitait : la terreur à l'idée de perdre Stephen à jamais.

Une voix la sortit brusquement de sa torpeur.

— Bonjour, jolie madame, vous allez bien ?

Surprise, elle ôta ses lunettes de soleil.

— Bonjour...

Un homme âgé à la chevelure blanche et au dos voûté lui faisait face. Son visage jovial incitait au dialogue.

— Je suis désolée, mais… on se connaît ?

— J'en étais sûr ! Je suis vieux, mais j'ai l'œil. Dès que j'ai aperçu votre silhouette, je me suis dit : tiens, c'est la petite dame de l'autre fois !

Camille le fixait, l'air ahuri, ne sachant quoi répondre.

— Je suis confuse…

— Il y a plusieurs mois, vous étiez à la recherche du stand d'un de mes collègues, insista le vieil homme.

Sa sincérité ne faisait aucun doute, Camille en était gênée. Tout à coup, elle se remémora le jour où elle était venue à ce même endroit à la recherche de la silhouette de Stephen.

— Simon, évidemment ! Désolée. J'étais… ailleurs.

Elle esquissa un sourire.

— Alors, vous l'avez trouvé, le beau Stephen ? Mes renseignements étaient corrects ?

Camille approuva timidement d'un signe de tête.

Simon insista.

— Sa librairie, *Des mots et des maux*, vous y êtes allée ? Vous avez pu le rencontrer ?

— Oui, je vous remercie, vos renseignements étaient parfaits. J'ai pu le… rencontrer.

Simon s'installa à ses côtés. Il sortit de sa poche un paquet de tabac. Il déplia délicatement une fine feuille de papier, la garnit copieusement et commença à rouler l'ensemble sur sa cuisse.

— Vous en voulez une ? lui proposa-t-il.

— C'est gentil ! J'ai mes drogues douces personnelles, dit-elle tout en saisissant son paquet de cigarettes light.

— Mon Dieu, ma petite dame ! J'ai fumé ça pendant quarante ans, ç'a failli me tuer ! Désormais je suis passé à quelque chose de plus fort et goûteux, affirma Simon dans un soupir de fatalisme.

Il alluma son épaisse préparation et lui tendit son briquet.

Ils restèrent là tous les deux à fumer, leurs mouvements simplement rythmés par l'inhalation du goudron et de la nicotine.

Alors que Camille venait d'écraser son mégot sur le muret de pierre, Simon renoua la conversation.

— Maintenant qu'on est intimes... « ma petite dame », ça fait pompeux, vous ne trouvez pas ?

Il se mit à rire, ce qui provoqua une toux épaisse et rocailleuse. Après quelques secondes, il reprit sa respiration.

— Bon, comment je vais l'appeler, « la petite dame » ?

— Camille.

— Très bien, alors ce sera Camille. Mais je parle, je parle... Je vous embête peut-être avec mes questions ?

— Pas du tout. Je crois même que ça me fait du bien, de discuter avec vous. Vous êtes... comment dire... surprenant.

Simon parut troublé. Il laissa entrevoir une faille, ravala sa salive.

— Je peux vous donner un conseil ? demanda timidement Camille.

— Ah bon ? Dites toujours !

— Vous entendez comme vous toussez, vous devriez arrêter de fumer.

Simon partit dans un grand éclat de rire.

— Certainement pas ! s'écria-t-il. Quitte à crever, que ce soit avec plaisir ! Et de préférence avec les drogues les plus fortes possible.

Camille alluma une nouvelle cigarette.

— Vous faites quoi ? lança-t-il.

— Comme vous ! Je m'intoxique. Mais moi, ça ne me procure aucun plaisir.

— Ouh là là, je crois que vous n'êtes pas ici pour contempler les Bateaux-Mouches qui passent. Je me trompe ?

Elle esquissa un rictus qui trahissait une profonde lassitude. Simon ne désarma pas pour autant.

— Vous savez, ça ne me regarde pas, mais à mon âge je donne toujours mon avis et je me fous de la réaction de mon interlocuteur. Vous semblez avoir des soucis, non ?

Camille n'hésita pas et répondit, comme si l'avis de Simon la libérait d'un poids :

— Oui !

— Difficile à gérer ? Ou plutôt un choix difficile, peut-être ?

Elle confirma :

— Oui... un choix !

— Et je suppose que vous ne savez pas quoi faire ?

— Je sais ce que je désirerais, oh oui, ça, je le sais ! Mais la vie... n'est pas simple, je vais faire du mal, je ne sais pas encore à qui, mais... je vais faire énormément de mal et je ne le supporte pas !

Malgré son sens de la repartie, le vieil homme parut troublé par ces confidences et préféra mettre un terme à la conversation.

— Pardon, mais je dois vous laisser ! J'aperçois une personne devant mon stand qui farfouille dans mes vieilles cartes postales.

Simon commença à se redresser lentement en s'appuyant sur le muret. Camille posa sa main sur la sienne.

— Restez encore un instant, s'il vous plaît, lui demanda-t-elle, je vous les achèterai, vos cartes postales.

— Certainement pas ! assura-t-il. Par contre, maintenant que je suis sûr que ce ne sont pas les Bateaux-Mouches qui vous intéressent et que vous ne m'avez toujours pas lâché la...

Il n'eut pas le temps de poursuivre. Confuse, elle retira sa main d'un geste rapide.

— Oh pardon !

— Pas de souci. Vous êtes glacée !

Camille rassembla ses cheveux en penchant la tête en arrière. D'un geste assuré, elle entortilla les mèches et confectionna un chignon improvisé. Simon l'observait. Lui qui avait l'habitude de décoder la moindre expression des touristes paraissait perplexe devant cette femme qu'il ne voyait que pour la deuxième fois. Camille l'intriguait !

— Vous voyez, Simon, mon assistante cherche à me joindre depuis plus d'une heure. C'est sans doute important et je ne réponds pas.

— Que faites-vous comme travail ?

— Avocate.

— Et ça vous gêne que votre assistante vous harcèle ?

— Je ne sais pas.

— Bien sûr que si !

— Vous avez raison ! C'est plus important pour moi d'être ici.

— Alors éteignez ce satané portable !

— Vous êtes sûr ?

— On n'est jamais sûr de rien ! Ça, la vie se charge de nous l'apprendre, mais ne philosophons pas et éteignez ce portable.

— Vous le pensiez vraiment, ce que vous disiez tout à l'heure sur les « drogues les plus fortes possible » ?

— Oui !

— C'est violent !

— Vous préférez vivre dans la monotonie et la douceur du coton ou être ballottée par les aléas de la vie et vous sentir vivante ?

— Me sentir vivante et dans le coton, c'est mieux !

— Dans ce cas arrêtez de vous plaindre et bougez-vous les fesses !

— Pardon ? s'écria Camille, choquée par son langage.

— Je confirme : arrêtez de vous plaindre et bougez-vous les fesses !

— Vous ne manquez pas de culot !

— Au fond, ça ne vous gêne pas, la façon dont je vous parle. Sinon vous ne seriez pas là, affirma le vieil homme.

Un instant de silence.

— Vous avez raison.

— Pour répondre à votre question, je le pensais vraiment pour les drogues.

— Quand vous dites « drogues »...

— On s'est compris, je crois ! Les drogues les plus dures ne sont pas celles que l'on s'injecte dans les veines. Je ne parle pas des drogues avec lesquelles on se ruine la santé, non, je parle de celles qui vous ruinent... la vie.

— Et que faut-il faire ?

— Prendre la bonne dose.

— Pas facile, murmura-t-elle.

— Non, mais il n'y a que vous qui connaissez le... comment disent les jeunes déjà ? Ah oui, le bon « shoot » ! C'est bien ça ?

Simon poursuivit :

— Bon, ce n'est pas tout ça, c'est agréable de discuter avec vous, mais là, j'ai des clients qui m'attendent, revenez quand vous voulez. Je vous ferai essayer mon tabac à rouler, la meilleure des drogues dures, fit-il en ricanant.

— Certainement pas !

Simon saisit le bras de Camille et lui dit en la fixant dans les yeux :

— En réalité, je crois que vous n'avez pas besoin de ma « drogue dure ». Je ne la connais pas, mais je suis persuadé que vous avez la vôtre. Vous ne savez pas s'il faut augmenter la dose ou effectuer un sevrage brutal ?

— Vous êtes étonnant !

— Vous savez, cela fait cinquante ans que je décode les comportements des acheteurs et cinquante ans que je vends correctement mes bouquins et mes cartes postales, alors... Mais je vous ennuie et mes clients attendent toujours. Cette fois-ci, j'y vais !

— Merci.

— Un dernier conseil : le sevrage n'est pas forcément la bonne solution. On passe beaucoup de temps à souffrir pour, au final, avoir toujours envie... Alors... à vous de voir ! Et n'oubliez pas votre toile, elle doit être magnifique, j'en suis sûr.

Camille avait déposé le tableau au pied du muret de pierre et l'avait presque oublié le temps de cette discussion inattendue.

Le vieil homme lui fit un signe de la main et se dirigea vers ses « boîtes » où l'attendaient plusieurs clients.

La conversation avec Simon lui avait paru étrange, presque irréelle. Sans doute un trop-plein d'émotions qu'elle n'avait fait que malaxer dans tous les sens pour, au final, n'avoir toujours fait aucun choix.

Elle saisit son iPhone qui, une nouvelle fois, venait de vibrer dans sa poche : cinq appels de son assistante. Lors de sa dernière tentative, Claudia avait laissé un message pour la prévenir que Richard avait pu obtenir un entretien avec le juge pour le lendemain matin à 9 heures dans son bureau du palais de justice.

Dévastée par la tristesse et malgré l'urgence du dossier, Camille ne se sentait pas capable de revenir au cabinet et réétudier le cas Durontin. Elle préféra envoyer à Claudia un SMS lui demandant de lui transmettre l'ensemble du dossier sur sa messagerie personnelle afin qu'elle le relise plus tard dans la soirée.

Camille prit quand même la direction du cabinet afin d'aller récupérer sa voiture. Elle traversa le pont Neuf et après une dizaine de minutes de marche arriva en vue des colonnes du théâtre de l'Odéon.

Là, elle reçut un message de sa fille Vanessa.

> Je sors à 17 h, prof de math absent, tu peux me récupérer ?

Camille soupira, elle avait prévu de rentrer à son domicile et de profiter d'un moment de calme et de répit avant de retrouver les occupations d'une mère de famille, puis d'une épouse quand Richard reviendrait de sa première journée d'audience. Il ne manquerait pas, en sirotant son whisky du soir, de se lancer dans un long monologue qu'elle écouterait comme toujours d'un air appliqué, mais sans vraiment y porter une grande attention.

Elle pensait encore et toujours aux mots de Stephen, et elle se sentait lasse. Camille était fatiguée. Elle n'avait pas prévu de faire un détour jusqu'au lycée de Vanessa et, en plus des bouchons du périphérique, de supporter la circulation dans Paris intra-muros.

Mais c'était sa fille, alors elle fit l'effort. Elle pensa que cela la détendrait d'entendre les histoires d'une lycéenne qui ne manquerait pas de passer en revue sa journée et le long listing de tous les défauts de ses professeurs.

> O.K. ma fille ! 30 minutes maxi.
> Bisou, et j'attends le tien. ☺

Vanessa répondit instantanément.

> Yes ! Trop cool maman,
> Bisou ☺

Les yeux fixés sur le message, Camille se revit lorsqu'elle était élève au lycée Grand Air d'Arcachon. À cette époque les Smartphones n'existaient pas, comment faisions-nous ? se demanda-t-elle en pensant à Stephen.

Tout simplement, ils se retrouvaient !

*
**

Lorsqu'elle arrivait en bus aux abords du lycée, elle savait que Stephen l'attendait et ne pouvait s'empêcher de le chercher du regard : il était toujours là.

Dès que le bus s'immobilisait, Stephen s'approchait et lui souriait à travers la vitre. Elle descendait et tous ces messages qu'ils n'avaient pas pu s'envoyer depuis la veille, ils se les transmettaient face à face, soit en riant soit, pour les plus intimes, en se les chuchotant au creux de l'oreille.

Elle pensa que c'était mieux avant, sans les portables : une attente et une redécouverte journalière. Les yeux dans les yeux, cherchant l'autre du regard, simplement l'autre.

Camille venait d'arriver dans le parking, elle s'installa dans son crossover, inséra son CD préféré dans le lecteur : un concert live de Jean-Jacques Goldman : *En passant.*

Elle démarra, enclencha la marche arrière. Les premières notes se firent entendre.

« ... Des routes m'emmènent, je ne sais où
J'avais les yeux perçants avant, je voyais tout... »

Elle se dit de nouveau qu'avant c'était mieux. Oui, vraiment mieux...

4
J'ai vu ma vie défiler

Emprisonnée dans une brume sombre
Je ne voyais plus rien, juste des ombres
Tout au fond, une fenêtre éclairée
J'ai vu ma vie défiler.
Je flottais sans effort au-dessus d'un long chemin
Acceptant ma fin comme un évident destin
Mes craintes et mes hésitations envolées
J'ai vu ma vie défiler.
Tout à coup surgirent vos mains tendues
Vous étiez là, je savais que j'étais attendue
J'ai fermé les yeux, je me suis laissé porter
J'ai vu ma vie défiler.

— Madame, vous m'entendez ? Serrez ma main si vous ne pouvez pas parler !

Camille percevait à peine ces quelques mots qui lui parvenaient par saccades. Elle flottait dans un brouillard, devinant des bruits de sirènes hurlantes, les lumières de gyrophares et des personnes s'agitant autour d'elle.

— Ne bougez pas, nous allons nous occuper de vous !

Elle sentit une main tenir la sienne. Elle aurait voulu répondre, mais elle ne pouvait pas.

— Vous avez eu un accident. Nous allons vous transporter à l'hôpital.

Une odeur âcre de fumée emplissait l'atmosphère. Toutes les conversations s'entremêlaient et lui parvenaient sans qu'elle puisse manifester la moindre réaction.

— Dépêchez-vous d'éteindre ce feu ! Nous devons, au plus vite, accéder au chauffeur du camion.

— Urgence absolue, je répète, urgence absolue ! Deux véhicules, un camion et un véhicule léger. D 985 en direction de Versailles. Trois blessés.

— Ils doivent désincarcérer le chauffeur, une équipe reste sur place. Go, go, on y va ! Les deux premiers véhicules partent avec la femme et la jeune fille ! Vas-y, envoie les sirènes et direction Georges-Pompidou.

— Dix minutes. Je confirme : dix minutes ! Jeune fille, environ dix-huit ans, éjectée du véhicule, blessure des membres inférieurs, suspicion de fracture déplacée.

Avant de sombrer dans le coma, Camille se souvint d'un virage mal maîtrisé, des appels de phares d'un camion, des cris de Vanessa et du vacarme de la tôle froissée.

De toute cette agitation, elle ne retint que quelques mots : « jeune fille », « blessure », « fracture ». Elle savait qu'il s'agissait de Vanessa.

Elle aurait voulu hurler, mais rien ne sortait ; le brouillard s'épaississait, puis tout à coup plus rien, le néant.

Plus aucun bruit, plus aucune douleur, Camille flottait. Juste une lumière blanche tout au fond d'une pièce sombre. Ni une porte ni une fenêtre, une simple lumière dont l'intensité oscillait en harmonie avec sa respiration.

Elle se vit, installée dans une salle de cinéma dont elle était la seule spectatrice. La lumière commença à se colorer, d'abord des mélanges doux sans signification particulière, puis se dessinèrent des images de son enfance, comme dans un vieux film à la pellicule rayée. Elle était sereine, devinant ses grands-parents, son père et ses enfants. Les générations se mêlaient harmonieusement, les visages étaient rayonnants, illuminés de larges sourires.

Tout à coup la salle sombre disparut, Camille fut transportée au milieu des personnages. Elle évoluait avec eux, mais personne ne pouvait la voir. Tel un fantôme, elle errait d'une scène à l'autre : des images d'abord rassurantes, puis un flash angoissant vers sa vie d'adulte, et retour à la sérénité de son enfance bercée par le bruit des vagues de l'Océan. Et encore une fois, un flash violent où tout s'embrouillait : des hommes vêtus de noir, tels des corbeaux qui planaient au-dessus d'elle, cherchant à la piquer avant de reprendre leur envol inquiétant.

Et de nouveau la sérénité. Camille était assise sur une balançoire, au beau milieu d'un jardin à l'herbe dense, verte, rafraîchissante. Devant elle, une table, celle des fêtes de famille où les rires des enfants se mêlent aux discours des anciens, où le bonheur semble infini.

Une petite fille s'approcha et lui demanda ce qu'elle faisait.

— Tu es bien, sur ma balançoire ?

— Tu me vois, petite fille ?

— Oui, mais il n'y a que moi qui peux te voir !

— Ah bon, pourquoi ?

— Tu le sais.

— Non, je n'en ai aucune idée. Et qui sont ces gens ? La fête a l'air belle, ils ont l'air heureux.

— Bien sûr, puisque nous sommes dans ton rêve.

— Que veux-tu dire ?

L'enfant se figea, son regard se planta dans celui de Camille, qui découvrit ses yeux d'un vert puissant, irréel, presque hypnotique.

— Mais qui es-tu donc, petite fille ?

— Ce n'est pas important, je te prête ma balançoire. Profites-en, car bientôt tu vas nous quitter. Tu vas revenir dans ton monde.

— Vous quitter ? Dans mon monde ? Mais pourquoi donc et où suis-je ?

L'enfant s'éloigna pour regagner sa place parmi l'immense tablée.

— Ne pars pas, reste là ! Je peux connaître ton prénom, au moins ?

— Ça aussi, tu le sais : Camille !

— Madame, madame, vous m'entendez ? Ouvrez les yeux, restez avec nous !

Le médecin urgentiste tapotait les joues de Camille tout en scrutant les instruments de contrôle.

— Docteur, la tension est à sept, on injecte ? s'enquit l'infirmière.

— Je sens qu'elle revient à elle. Juste une perfusion de chlorure de sodium en attente, après on verra si on doit véhiculer un anti-inflammatoire.

Camille reprit peu à peu connaissance. Sa vue s'éclaircissait, elle comprit qu'elle se trouvait dans un véhicule du SAMU.

Elle repensa au camion, puis au choc d'une violence inouïe, à Vanessa. Elle prononça enfin ses premiers mots.

— Ma fille, où est ma fille ?

Elle s'agitait trop, le médecin appuya sur ses épaules afin qu'elle reste allongée sur le brancard.

— Aidez-moi, lança-t-il à l'infirmière tout en jetant un rapide coup d'œil à l'électrocardiogramme qui indiquait un rythme cardiaque trop élevé.

— Calmez-vous, madame, vous avez eu un accident, vous avez perdu connaissance une quinzaine de minutes. Nous arrivons à l'hôpital.

Les sirènes hurlaient, déchirant le brouhaha des boulevards parisiens.

— Ma fille, où est Vanessa ? Elle était avec moi dans la voiture.

— Ne vous inquiétez pas ! Elle est également prise en charge. Elle se trouve dans l'autre véhicule, juste derrière nous.

— Quel véhicule ? Mais qui êtes-vous ? questionna-t-elle en balançant violemment la tête d'un côté à l'autre.

Sa tension, cette fois-ci bien trop haute, inquiétait le médecin, qui fit signe à l'infirmière de préparer une injection de calmant.

— Madame, essayez de vous détendre, votre fille est consciente. Dans quelques minutes, nous serons à l'hôpital. Une équipe nous attend.

Camille semblait replonger dans un coma partiel. Elle balbutia quelques mots.

— La balançoire... je suis sûre... c'était à Arcachon... La petite fille... Papa, tu étais là !

— Elle repart ! Coma post-traumatique avec réveil partiel, ce n'est pas bon, ça ! La tension, le rythme cardiaque, où en sont-ils ? s'alarma le médecin.

— Huit en systole, cent soixante-cinq battements par minute.

— N'injectez rien, ordonna le médecin. Elle est trop faible. Putain, on arrive, oui ou non ? Ce n'est pas possible ! Il faut d'urgence lui faire une IRM cérébrale. Je crains un œdème.

— On y est, le comité d'accueil est là, déclara le chauffeur.

Le médecin du SAMU fit un point rapide avec le chef des urgences venu les accueillir pendant que les brancardiers transféraient Camille et sa fille.

Vanessa, malgré l'administration d'antidouleurs, souffrait beaucoup de sa jambe gauche où lui avait été posée une attelle. Lorsque les deux brancards pénétrèrent dans les couloirs des urgences, elle aperçut sa mère, inconsciente.

— Maman, maman, ça va ? hurla-t-elle dans un long cri plaintif.

— Mademoiselle, vous allez entrer en salle d'opération, vous avez une blessure à la jambe qui nécessite sans aucun doute une anesthésie générale. Vous êtes bien Vanessa Mabrec, c'est bien cela ?

— Oui, oui, j'ai mal, mais ma mère ? bafouilla Vanessa dans un gémissement presque inaudible.

— Ça va aller, mademoiselle, ça va aller !

Les brancards disparurent derrière les portes battantes.

L'infirmier s'approcha du comptoir des urgences et tendit le sac de cours de Vanessa à sa collègue.

— On a récupéré les papiers de la jeune fille : il s'agit de Vanessa Mabrec ; elle vient de me le confirmer. Par contre, la femme semble être sa mère, mais ses papiers sont toujours dans la carcasse de la voiture.

— O.K., je m'en occupe, je tente de contacter la famille.

Les médecins évoquèrent d'abord le cas de Vanessa.

— Elle souffre beaucoup, elle présente une fracture du tibia à la jambe gauche. Je crains un déplacement osseux. Je pense qu'elle a également trois, voire quatre côtes fêlées. Elle n'a jamais perdu connaissance et ses constantes sont restées correctes.

— Très bien. Radio pour confirmation et direction orthopédie pour décision, mais à mon avis, il faut réduire sa fracture rapidement. Et la mère ?

Le médecin qui venait de prodiguer les premiers soins à Camille était soucieux.

— Elle souffre de multiples contusions au dos, mais ce n'est pas ça qui m'inquiète. Elle a sombré à deux reprises dans un coma avec agitation, amnésie et spasmes abdominaux importants. La tension est faible avec pics hypertensifs et des épisodes de tachycardie.

Le médecin-chef des urgences parut hésiter un instant.

— Quel âge a-t-elle ?

— Environ quarante-cinq ans.

— Qu'en penses-tu : scanner ou IRM ? demanda-t-il à son confrère.

Celui-ci fut formel.

— IRM ; avec le scanner on peut passer à côté de quelque chose. C'est trop risqué !

Le médecin-chef acquiesça d'un signe de tête tout en signant les papiers pour faire réaliser les examens nécessaires.

La radiographie confirma les craintes de l'équipe médicale, Vanessa avait une fracture déplacée du tibia gauche. La décision d'intervenir fut prise rapidement afin de limiter les risques de complications et d'éviter une intervention plus lourde.

Trente minutes après son admission, Vanessa se trouvait sous les néons surpuissants de la salle d'opération. L'anesthésiste était à côté d'elle, lui parlant calmement afin qu'elle s'endorme le plus paisiblement possible.

Camille oscillait toujours entre quelques minutes de parfaite conscience et des moments troubles de confusion mentale et de semi-coma. Les médecins, inquiets à son sujet, attendaient avec impatience les résultats de l'IRM cérébrale.

Vu son état d'agitation, l'équipe médicale décida de lui injecter une forte dose de calmants avant de procéder à cet examen qui nécessite une immobilité totale si l'on veut obtenir des clichés le plus fiables possible.

Le chauffeur du camion, lui, fut admis quarante-cinq minutes plus tard ; sa désincarcération avait été longue. Les pompiers avaient déployé le maximum de précautions pour que son extraction de la cabine se déroule sans problème, et par miracle, lui n'avait que quelques contusions.

Afin d'éviter le véhicule de Camille, il avait donné un violent coup de volant et s'était encastré dans un épais mur de pierre. Malgré son geste désespéré, Camille n'avait pu éviter un choc frontal. Le crossover s'était couché et était allé percuter la glissière de béton avant de finir sa course en léger contrebas de la route. C'est au moment du deuxième impact que Vanessa avait été éjectée par la portière, qui venait de s'arracher.

Les premières constatations policières ne souffraient aucun doute. Elles devaient être corroborées par les interrogatoires des deux conducteurs, mais la responsabilité de Camille semblait engagée en totalité. Les témoignages des autres automobilistes et les traces de freinage attestaient qu'en sortie de virage, elle circulait sur la partie gauche de la route.

— Ma femme, ma fille, où sont-elles ? vociféra Richard lorsqu'il pénétra dans le hall des urgences.

Sans savoir où aller, il se mit à courir dans les couloirs, à la recherche du moindre renseignement. Une des infirmières de garde, prévenue par le standard, l'interpella et l'invita à se diriger vers son bureau. Elle avait l'habitude de gérer ce genre de situation délicate.

— Monsieur, calmez-vous et venez vous asseoir, nous allons vous expliquer, fit-elle d'un ton calme.

Debout dans le bureau des infirmières, Richard trépignait. Ses yeux, injectés de sang, trahissaient un énervement et une inquiétude qu'il avait du mal à contrôler.

— Ma femme, ma fille, comment vont-elles ?

— Asseyez-vous, monsieur, je vous en prie.

Richard devint agressif.

— Je ne veux pas m'asseoir ! cria-t-il. Comment vont-elles ?

L'infirmière changea de discours et s'exprima plus fermement.

— Écoutez, si vous voulez avoir des nouvelles et surtout comprendre ce qui se passe, je vous conseille de changer de ton !

L'effet fut immédiat, Richard se tut et accepta de s'asseoir.

— Vous désirez peut-être un café ou un verre d'eau ?

— Non, rien, répondit-il sèchement.

Elle décrocha son téléphone et demanda au médecin de la rejoindre.

— Monsieur Mabrec, le médecin arrive, il va vous faire un point précis.

— Elles vont bien, j'espère. Car le message que j'ai reçu en pleine audience, quelle honte ! « Votre femme et votre fille ont eu un accident de la circulation, elles sont en soin aux urgences, merci de venir au plus vite ! » Rien de plus. C'est une honte, je vous dis !

— Que voulez-vous, monsieur ? Que l'on vous dise la vérité, je suppose ?

— Oui, mais...

Il ne put terminer sa phrase ; le médecin était déjà là avec les dossiers sous le bras.

— Bonjour monsieur Mabrec. Je vais vous faire un point le plus précis possible. Nous avons les résultats complets des examens de votre fille, j'attends ceux de votre femme ; j'ai prescrit des examens neurologiques complémentaires.

— Neurologiques ? Pourquoi ?

Le médecin s'installa face à lui, puis étala sur le bureau les comptes rendus concernant Vanessa.

— Monsieur Mabrec, je vous en prie, fit-il en l'invitant d'un signe de la main à se rasseoir. J'ai besoin d'être concentré.

— Je l'espère bien ! fit Richard d'un ton désagréable.

Le médecin ne releva pas et commença son explication avec calme, essayant de vulgariser au mieux un discours médical parfois parfaitement incompréhensible pour les non-initiés.

— Comme vous le savez, votre femme et votre fille ont eu un accident de la circulation. En ce qui concerne – il jeta un coup d'œil rapide au dossier – Vanessa...

— C'est grave, m'a-t-on dit...

— Vanessa a été éjectée de la voiture. Elle a une blessure au tibia et trois côtes fêlées. Elle est actuellement en salle d'opération, où l'on va réduire sa fracture et lui poser un plâtre de maintien. Je ne vous cache pas que cette

intervention est douloureuse et qu'elle a néces-
sité une anesthésie générale.

— Sa vie n'est pas en danger ? s'inquiéta son
père.

— Bien sûr que non ! Mais la récupération
complète sera de l'ordre de plusieurs mois,
avec des contrôles réguliers afin de s'assurer
que la consolidation évolue correctement. Elle
est jeune, à vingt ans elle récupérera.

— Dix-sept !

Le médecin jeta un coup d'œil au dossier.

— Effectivement, dix-sept, raison de plus.

— Je peux la voir ?

— Plus tard. Elle est encore en salle d'opération, lui rappela le médecin alors qu'on venait
de lui transmettre les derniers résultats concernant Camille.

— Ce sont les résultats de ma femme ?
demanda aussitôt Richard.

— Un instant, je consulte les clichés.

Il feuilletait le dossier, revenant en arrière,
soulevant les documents. Ses mimiques semblaient indiquer un questionnement intense.

— Un verre d'eau, peut-être ? proposa l'infirmière, qui tentait de combler ce moment de
silence.

— Merci. Un café, si c'est possible.

— Bien sûr. Vous en voulez un également,
docteur ?

— Avec plaisir, répondit le médecin tout en
continuant à triturer l'ensemble des données.

Puis il croisa les bras et s'adressa à Richard.

— Votre femme... comment dire... son état est plus simple et en même temps plus complexe.

Il vérifia de nouveau le tracé de l'électroencéphalogramme.

Richard hésita...

— Mais... elle va bien ?

— Oui, c'est d'ailleurs un miracle... si l'on peut dire ! Votre femme n'a aucune blessure grave, aucune lésion, juste quelques contusions et des petites plaies au dos. Mais elle présente des épisodes d'absence comateuse répétés avec amnésie que nous n'arrivons pas à expliquer. Son IRM est parfaite, les différentes analyses ne révèlent rien de particulier. L'électroencéphalogramme ne montre aucune anomalie.

Le médecin croisa les mains derrière sa tête.

— Mais alors, s'il n'y a pas d'anomalie... releva Richard, plein d'espoir.

— Oui, mais ce qui n'est pas normal, enfin... habituel serait le terme le plus approprié... c'est que, d'après ses examens, votre femme ne devrait pas sombrer régulièrement dans cet état que nous n'arrivons pas à expliquer. J'ai donc décidé de la garder trois jours en observation.

Richard tenta une explication afin de se rassurer.

— Comment appelez-vous ça déjà ? Un coma post-traumatique ?

— Effectivement, c'est le plus plausible. Mais nous préférons la garder sous surveillance.

— Je peux la voir ?

Le médecin interpella l'infirmière.

— Elle est installée ?

— Non, pas encore.

— Plus tard. Nous vous préviendrons.

— Merci docteur. Mais vous... ne me cachez rien ?

— Monsieur, croyez-vous qu'en médecine d'urgence nous avons le temps de mentir ? Je vous ai dit tout ce que nous savons.

Le médecin s'éloigna, puis se retourna vers Richard et lança :

— Nous referons le point demain, je pense.

— Merci docteur.

Richard patienta dans le hall de l'hôpital. Il ne pouvait voir ni sa fille, toujours en salle d'opération, ni sa femme, encore entre les mains des neurologues.

Il saisit son téléphone et appela Boussara, qui s'occupait de la maison. Il l'avait prévenue de l'accident et lui avait demandé de récupérer son fils à la sortie du collège.

— Tout va bien, Boussara ?

— Ne vous inquiétez pas, monsieur. Et... à l'hôpital ?

— Je n'ai pas encore pu les voir, les médecins sont plutôt confiants. Il faut attendre, dit-il d'un ton fataliste.

Avec son éternel optimisme, elle tenta de le rassurer.

— C'est un des meilleurs hôpitaux parisiens ! J'ai une amie qui s'est fait soigner là-bas. Eh bien, elle est entrée sur un brancard et elle est ressortie en courant. Enfin, après quelques jours de convalescence.

— Nous verrons, répondit-il simplement.

— Je m'occupe de Lucas, prenez votre temps. Vous pouvez rentrer aussi tard que vous le souhaitez.

— Merci. Que fait-il ?

— Ses devoirs ! Vous savez, il ne s'inquiète pas trop. Je lui ai dit qu'elles n'avaient que des égratignures.

— Parfait, Boussara, je rappellerai.

Richard raccrocha.

Malgré ses questions incessantes au personnel soignant, Richard n'obtint aucune nouvelle information.

C'était le moment de prévenir sa famille et Claudine, la mère de Camille. Il tenta d'abord de joindre ses parents aux *Vieux Tilleuls*, mais personne ne répondit. Leurs portables, comme d'habitude éteints, basculèrent directement sur la messagerie. Richard, en quelques phrases, leur résuma la situation de la façon la plus neutre possible, sans aucune forme d'émotion particulière. À chaque fois qu'il s'adressait à ses parents, son éducation stricte et dénuée de la moindre affectivité reprenait le dessus.

Il contacta également Eymeric et Evan, ses frères. Ce fut chez le plus jeune qu'il trouva une forme de réconfort sincère. Eymeric, perdu dans ses chiffres et la gestion des tonnes de céréales de la propriété familiale, se contenta d'un « Bon courage » de circonstance.

Kalynia, la compagne d'Evan, lui proposa de venir quelques jours. Il refusa, mais elle était déjà en train de pianoter sur son Smartphone afin de réserver ses billets de TGV. Elle s'était toujours très bien entendue avec Camille et elle n'imaginait pas ne pas être à ses côtés dans un moment aussi difficile. Richard tenta de la dissuader de faire le voyage, vu qu'on était en pleine saison touristique sur la côte languedocienne et que ses jumeaux avaient besoin d'elle, mais rien n'y fit ; la validation des billets était déjà faite. Il la remercia.

Richard contacta également Claudine qui eut, pour une mère, une réaction certes surprenante, mais désespérément habituelle. Les relations avec sa fille avaient toujours été tendues. En fait, depuis la mort du père de Camille, elles ne se comprenaient plus.

Richard lui expliqua succinctement les circonstances de l'accident.

— C'est bien ma fille, ça ! Encore dans la lune. Que faisait-elle de l'autre côté de la route ?

Même s'il s'était toujours bien entendu avec sa belle-mère, Richard ne put s'empêcher de recentrer la conversation sur le sujet qui le préoccupait.

— Elles vont bien, mais les médecins n'ont pas encore émis de diagnostic définitif pour Camille. Votre fille présente des pertes de connaissance qu'ils n'expliquent pas.

Cela ne servit à rien.

— Si l'IRM est bonne, aucune inquiétude. Elle est comme son père, dure au mal !

Son mari était décédé depuis vingt-cinq ans, mais il était dur au mal... Au moins, ç'avait le mérite d'être clair !

— Sans doute... dit Richard, mais vous pouvez venir la voir, cela lui fera du bien.

— Ça ne m'arrange pas en ce moment... maugréa-t-elle.

— Pardon ?

— Hector n'est pas bien. J'ai dû rendre visite trois fois au vétérinaire le mois dernier.

Hector était un vieux perroquet agressif qui vieillissait aussi bien que sa maîtresse, c'est-à-dire mal !

— Mais Claudine...

Elle lui coupa la parole.

— En plus, ma voisine est absente, elle est en vacances. Vous vous rendez compte, Richard, alors qu'elle habite Arcachon !

Même s'il connaissait parfaitement sa belle-mère, il était abasourdi par son comportement. Il ne put s'empêcher de réagir.

— Mais enfin, Claudine, il s'agit de la santé de votre fille et de votre petite-fille !

— Bien sûr, Richard, mais ce n'est pas la meilleure période pour me libérer. Je vais voir comment m'organiser ; Arcachon-Paris, c'est un long voyage.

— Il y a le TGV depuis Bordeaux, Claudine.

Elle préféra clore la conversation.

— Oui, bien sûr... Tenez-moi au courant.

Malgré une nouvelle demande, Richard n'obtint aucune information supplémentaire concernant l'état de sa femme et de sa fille. Il était inquiet et tournait en rond tel un lion en cage. Il ne pouvait rien faire d'autre qu'attendre, toujours attendre.

Il se rappela soudain qu'il n'avait pas prévenu Mathilde et Hubert. Ils s'occupaient depuis plus de trente ans des *Vieux Tilleuls*. Le domaine réservé d'Hubert, c'était l'extérieur avec ses allées et ses massifs, quant à Mathilde, elle œuvrait avec application à l'entretien de l'immense demeure et à la cuisine lorsque les parents de Richard recevaient des invités. Ses talents de cuisinière étaient unanimement reconnus.

Ils vieillissaient, le travail de plus en plus pénible rendait leur tâche lourde à assumer. Mais ils ne se plaignaient pas, ce n'était pas dans leurs habitudes.

Mathilde et Hubert n'avaient jamais pu avoir d'enfant, Camille les considérait comme ses parents de substitution. Une mère absente, un père disparu bien trop tôt l'avaient laissée dans un besoin d'amour parental jamais comblé.

Dès leur première rencontre, lors de sa visite aux *Vieux Tilleuls* avant son mariage avec Richard, le contact avait été facile et naturel. Camille aima très vite la douceur et la bienveillance du couple et, naturellement, au fil des années, s'instaura avec eux une relation de confiance et de respect. Ils étaient devenus sa « petite mère » et son « petit père », comme elle se plaisait à le leur répéter si souvent.

Camille les aimait d'un sentiment non obligatoire, celui qui ne doit rien à personne, simplement construit sur une rencontre bénéfique et qui traverse le temps avec une rassurante douceur.

Mathilde et Hubert avaient deviné le mal-être de Camille. Hubert connaissait l'histoire qu'elle vivait avec Stephen. Il n'avait rien dit, même à Mathilde, se contentant d'écouter Camille lorsque ses tourments débordaient et qu'elle éprouvait le besoin de se confier.

— Bonjour Mathilde... c'est Richard.

— Richard ! Je ne m'attendais pas à ton appel...

— Je... voulais vous dire...

En fait, il était perdu, ne sachant comment le leur annoncer.

Il connaissait le couple depuis son enfance et les appréciait, c'étaient deux êtres qui représentaient tout ce qu'il n'avait pas connu avec ses parents : l'écoute, la confiance, le pardon, le droit de se tromper... le droit de se relever.

— Si tu cherches tes parents, ils sont absents pour la semaine. Des amis de Savoie les ont invités, ils se sont décidés rapidement.

Ils ont bouclé leurs valises et sont partis sans attendre.

Il balbutia, craignant la réaction de Mathilde.

— Ah très bien, j'ai cherché à les joindre… En fait… c'est Camille et Vanessa…

Un silence s'installa, rythmé par la respiration de Mathilde qui s'accélérait.

— Que se passe-t-il, Richard ?

Dès cet instant, elle en fut persuadée : quelque chose de grave était arrivé.

Maladroitement et bien trop directement, Richard annonça :

— Elles ont eu un accident de voiture !

Mathilde s'affola aussitôt.

— Que dis-tu là ! Comment ça, un accident ?

— Elles vont bien, assura-t-il, hésitant.

— Comment ça, elles vont bien ? Mais où es-tu ?

— À l'hôpital !

Hubert rentrait du jardin. La nuit commençait à tomber et il venait de profiter de la fraîcheur de la soirée pour arroser les plates-bandes de rosiers. Tout à coup, il entendit sa femme presque crier au téléphone, il se précipita dans le salon.

Mathilde l'aperçut.

— Hubert, la petite et Vanessa, la petite et Vanessa ! répéta-t-elle, affolée.

— Qu'y a-t-il ? Et qui est au téléphone ?

— C'est Richard ! Elles ont eu un accident de voiture, elles sont à l'hôpital.

Mathilde s'effondra dans le canapé et lâcha le combiné, qui tomba à terre. Hubert s'en saisit.

— Richard ?

— Oui, j'espère que Mathilde...

Hubert lui coupa la parole.

— Elle est en pleurs, assise sur le canapé. Que se passe-t-il ?

Les idées de Richard s'entremêlaient, les informations sortaient sans logique.

— Je suis à l'hôpital... elles vont bien... elles ont eu un accident de voiture...

— D'abord, calme-toi et donne-moi quelques détails.

Toujours aussi embrouillé dans sa tête, Richard poursuivit :

— Elles ont percuté un camion... sur la route de la maison. Vanessa est toujours en salle d'opération, enfin... je crois. Camille passe encore et encore des examens, ils ne savent pas ce qu'elle a exactement.

Hubert enclencha le haut-parleur du combiné.

— Essaie de m'expliquer posément. Vanessa, qu'est-ce qu'elle a ? Pourquoi est-elle en salle d'opération ?

— Elle a une fracture à la jambe, ils sont intervenus tout de suite, dès son admission.

— Tu n'as pas pu la voir ?

— Non, je m'inquiète !

Hubert faisait office de modérateur afin de gérer l'affolement de Richard et le stress de sa femme.

— Et la petite ? Et ma petite Camille ? s'écria Mathilde, des sanglots dans la voix.

— Elle n'a rien de grave… enfin… d'après les examens qu'elle a passés. Elle a présenté une période de coma puis des épisodes de confusion. Elle non plus, je n'ai pas pu la voir !

— Bon, elles sont entre de bonnes mains, c'est le principal. Et Lucas, où est-il ?

— Boussara s'en occupe, elle m'a proposé de rester à la maison cette nuit.

— Nous serons là demain matin. Quel hôpital ?

— Georges-Pompidou.

— Parfait ! Et tiens-nous au courant s'il se passe quelque chose de particulier d'ici demain. N'hésite pas, à n'importe quelle heure !

— Je vous laisse, je vois l'infirmière qui me fait signe.

Richard raccrocha sans prendre le temps de les remercier. Il courut jusqu'au comptoir.

— Monsieur Mabrec, j'ai de bonnes nouvelles ! Votre fille est en salle de réveil, l'intervention s'est parfaitement déroulée.

— Merci. Et ma femme ?

— Tous ses examens sont normaux. Elle présente toujours quelques périodes d'amnésie. Les médecins la gardent en observation. Elle est installée dans sa chambre.

Richard poussa un soupir de soulagement.

— Je peux les voir ? s'enquit-il.

— Votre femme, oui. Pour votre fille, il faudra attendre. Elle reste en salle de réveil jusqu'à demain matin. Ils doivent gérer la douleur générée par ce type d'intervention.

Il s'engouffra dans le premier ascenseur disponible. L'infirmière eut à peine le temps de lui indiquer l'étage et la chambre.

En sortant de l'ascenseur, Richard aperçut un long couloir, bordé, du côté gauche, de cloisons transparentes. Dans chaque chambre, il chercha sa femme. Un des membres du personnel s'approcha.

— Bonsoir monsieur, je peux vous aider ?

— Je suis M. Mabrec, le mari de Camille Mabrec.

L'infirmier consulta la liste des hospitalisations.

— Nous n'avons personne à ce nom… Ah si, Camille Loubin.

— Oui, bien sûr, c'est son nom de jeune fille : Loubin !

— Juste derrière vous, vous pouvez entrer, mais ne restez pas trop longtemps.

Richard se retourna. À travers la vitre, il découvrit Camille, les yeux mi-clos. La tête soutenue par deux épais coussins, les bras en dehors des draps et allongés le long du corps, son regard fixe n'observant rien de précis.

Il n'osa pas entrer, préférant toquer à l'épaisse paroi transparente afin de ne pas la surprendre.

Richard fut saisi par le visage de Camille : il n'exprimait rien, elle était livide. Le blanc des murs, du lit et de cette infâme blouse médicale qu'elle portait ne faisait qu'amplifier cette impression de vide et de détresse.

D'un geste lent, elle tourna la tête vers lui, un sourire sans vie apparut sur son visage. Elle ferma les yeux à deux reprises, il comprit qu'elle lui demandait de la rejoindre.

Il pénétra dans la chambre, faisant attention à faire le moins de bruit possible. Il s'approcha et lui saisit la main, elle était glacée.

— Comment vas-tu ? chuchota-t-il.

Camille eut juste un fragile rictus. Elle serra la main de Richard et déclara :

— J'ai failli la tuer !

Elle fondit en larmes.

Richard sentit monter une bouffée d'angoisse, il se retint pour ne pas craquer.

— Non, Camille, c'était un accident.

— J'ai failli tuer notre fille, répéta-t-elle.

— Elle a été opérée, ça s'est bien passé.

Elle ne l'écoutait pas. Perdue dans ses pensées, elle revivait l'accident.

— J'ai vu la portière se broyer, la ceinture s'arracher. Vanessa qui criait, puis plus rien, elle n'était plus là. J'ai perdu connaissance.

Richard eut envie de pleurer, mais il ne devait pas, pour Camille, pour Vanessa. De toute façon, il n'aurait pas pu. Les émotions qui l'envahissaient restaient bloquées dans sa gorge, rien ne sortait. Quarante-cinq ans qu'il ne s'autorisait aucun signe de faiblesse ; c'était comme ça que l'on appelait les émotions chez les Mabrec : de la faiblesse.

Il aurait souhaité prendre sa femme dans ses bras. Si elle l'avait encouragé, Richard aurait succombé et plongé dans cet abîme qu'il ne connaissait pas. L'abîme de la compassion, du partage, de ces gestes parfois anodins qui font que la vie devient plus douce quand les épreuves cognent un peu trop fort et font mal, beaucoup trop mal.

Oui, il aurait plongé, mais Camille n'était pas avec lui, elle était en boucle sur Vanessa. Elle était soulagée qu'il soit à ses côtés, mais elle, qui d'habitude était en perpétuelle demande de tendresse de sa part, semblait dénuée de sentiments. Vanessa, uniquement Vanessa.

— Tu as pu la voir ?

— Demain matin, elle est en salle de réveil pour la nuit ; ils la gardent en observation.

— La jambe, c'est ça ? Le médecin m'a dit qu'elle était touchée assez sérieusement.

Sans s'en rendre compte, Richard se mit à caresser l'avant-bras de sa femme.

— Tout ira bien, il faudra du temps et elle récupérera. Et toi, dis-moi, comment te sens-tu ? Ils t'ont fait des tas d'examens, tout est normal, lui assura-t-il.

— Vide, je me sens vide ! dit-elle sans hésiter.

— C'est le contrecoup ! Tu as subi un choc important. Tu as présenté des périodes de coma.

Alors que Richard commençait à se lancer dans un flot d'explications concernant les différents examens qu'elle avait subis, Camille l'interrompit.

— Richard, j'ai vu ma vie défiler !

Il lâcha sa main.

— Comment ça, ta vie défiler ?

D'un coup, comme si elle se réveillait, ses paroles sortirent en rafales successives.

— Des lumières, une fête, mon père, une petite fille, c'était moi...

— Camille... calme-toi !

Elle ne l'entendait pas, elle poursuivit :

— Puis à nouveau, à chaque fois je replongeais, d'autres flashs, d'autres images.

L'infirmière frappa et entrouvrit la porte.

— Monsieur, je pense que vous devriez laisser votre femme se reposer. Et pour votre fille, soyez rassuré, tout va bien ; elle ne souffre pas trop.

— Très bien, merci.

— Et Lucas, je ne t'ai même pas demandé ! Tu vois, je suis vide de tout !

— Il est avec Boussara à la maison. Je vais rentrer. Demain, à la première heure, je serai là !

— Embrasse-le pour moi.

— Bien sûr ! Au fait, Kalynia doit arriver demain. Mathilde et Hubert également. Dans la matinée, m'ont-ils dit.

Camille fit un signe de tête en guise d'approbation. Elle était épuisée.

Richard l'embrassa. Camille ne bougeait pas, déjà replongée dans ses pensées.

— À demain, repose-toi, lui recommanda-t-il en refermant la porte de la chambre.

Il jeta un dernier regard à travers la vitre, il vit les lèvres de Camille prononcer quelques

mots. Il crut comprendre qu'elle lui disait :
« À demain, embrasse Lucas. » Et il disparut
dans le couloir.

Camille, seule, murmura, à plusieurs reprises,
la même phrase :

— J'ai failli tuer ma fille, parce que je pensais trop à lui !

Cet accident, Camille ne l'avait pas eu par
hasard. Même si elle se trouvait au mauvais
endroit au mauvais moment, les mots de
Stephen n'avaient pas cessé de l'obséder. Cette
forme d'ultimatum qu'il lui avait lancé ne
l'avait pas quittée.

Comme prévu, en fin d'après-midi elle avait
récupéré Vanessa au lycée. Si, durant le début
du trajet, la conversation de sa fille lui permit
de penser à autre chose, au bout d'une demi-
heure Vanessa préféra écouter ses musiques
préférées à l'aide de ses écouteurs.

Camille se retrouva seule, confrontée aux
doutes qu'elle traînait depuis qu'elle avait quitté
Stephen.

Inlassablement elle cherchait des réponses,
inlassablement elle cherchait une solution.

Son esprit était ailleurs, puis elle eut un léger
vertige, et sa vue se brouilla.

La voiture se déporta.

Camille ne s'en rendit pas compte...

Et là, le choc !

5

On aura beau...

On aura beau construire le plus beau des châteaux, l'orner des pierres les plus précieuses, remplacer ses pièces de bronze par l'éclat de l'or...

On aura beau illuminer ses tours avec des centaines de lumières...

Rien ne remplacera un clair de lune dans tes bras. Rien ne remplacera l'odeur de tes cheveux quand ta tête se pose sur mon épaule.

Rien, absolument rien, n'égalera la douceur de ton silence, la nostalgie de ton absence, l'espoir de ta présence...

— Tu es avec moi ? demanda Erwan tout en dégustant par petites gorgées son demi de bière.

Installé à la terrasse d'un café en bordure de Seine, Stephen pianotait sur son Smartphone. Il ne répondit pas à son ami qui commençait à s'impatienter.

— Tu te fous de moi ? Ça fait près d'une heure qu'on est là, à ne rien dire, juste à picoler. Tu n'as pas prononcé un mot ! Tu crois que je n'ai rien d'autre à faire ? J'ai du boulot, je te signale !

Stephen répondit d'un ton narquois :

— Ah oui ! Tes bandes dessinées que tu achètes une misère dans les vide-greniers et que tu revends une fortune aux touristes, tu appelles ça du boulot ? C'est plutôt de l'arnaque !

Même s'il avait une folle envie de lui balancer son verre à la figure, Erwan préféra répondre sur le ton de la plaisanterie. Stephen paraissait suffisamment soucieux pour qu'il ne le laisse pas seul à siroter quelques bières de trop juste en face du quai où étaient installées ses boîtes vertes. Si ses clients réguliers le voyaient dans cet état, ça ne serait pas du meilleur effet.

— Je te signale quand même que c'est toi qui m'as appelé ! lui fit-il remarquer. Tu m'as fait fermer mon gagne-pain pour l'après-midi. Tu avais des « choses » à me dire, alors vas-y, je t'écoute !

Stephen posa son Smartphone sur la table de fer forgé et résuma de façon abrupte la raison de ses tourments.

— Je crois que j'ai fait une connerie.

— Comment ça ? Que veux-tu dire ? s'inquiéta Erwan.

Stephen hésita un instant. Il fit tourner son verre entre ses mains avant de poursuivre :

— J'ai voulu... éclaircir... oui, c'est ça, éclaircir une situation et je crois que j'ai... tout foiré !

— Si tu pouvais être un peu plus clair, ça m'arrangerait. Là, je suis en mode brasse coulée en eaux troubles. De quoi parles-tu ?

— Je l'ai sûrement perdue ! affirma-t-il en se redressant d'un coup, le regard fixe.

Le visage d'Erwan se fit plus dur. Il porta une main à son front tout en rejetant la tête en arrière ; il venait de comprendre.

— Non, ne me dis pas... que ça concerne « la Justice » ?

— Si !

— Aïe, aïe, aïe !

Dans ce même bar, quelques mois auparavant, Erwan avait découvert Camille sur un écran de télévision lorsque BFM diffusait en boucle les conclusions du procès d'un homme politique qui, grâce au talent d'une avocate parisienne, avait réussi à s'extirper d'une affaire de pot-de-vin bien mal engagée. Stephen lui avait alors avoué qu'il l'avait connue au lycée. Erwan eut vite fait de deviner qu'il ne s'agissait pas d'une simple connaissance. Les mois qui suivirent lui donnèrent raison. Depuis ce jour-là, il avait pris l'habitude de surnommer Camille « la Justice » !

Erwan estimait que son ami vivait une aventure trop intense et passionnée. Pour lui, les liaisons qui durent étaient forcément synonymes de souffrance ou de lassitude, alors... cet amour d'ados qui avait résisté depuis près de trente ans, c'était une éventualité qu'il jugeait parfaitement improbable.

Stephen, depuis quelques semaines, lui avait déjà fait part de ses tourments, mais sans entrer dans les détails. Aujourd'hui, il semblait décidé à tout lâcher.

Erwan voulut détendre l'atmosphère, bien trop pesante à son goût.

— Tu vois, c'est pour cette raison que j'ai choisi les hommes. Au moins tout est clair. Les femmes, mon Dieu, quel supplice ! fit-il, accompagnant son propos d'une mimique efféminée.

— Écoute, je respecte tes préférences, mais de grâce, ne joue pas à la folle, ça ne te va pas du tout ! Et puis…

— Et puis quoi ?

— Et puis ça n'a rien à voir avec les hommes ou les femmes. C'est toi qui ne veux pas t'engager, voilà tout.

Erwan coupa court.

— On s'en fout de moi, c'est de toi qu'il s'agit. Pourquoi, tu veux t'engager, toi ?

— De toute façon, c'est foutu ! affirma Stephen avec fatalisme.

— Elle t'a largué ?

— Non.

— Alors, pour quelle raison dis-tu cela ?

— Je lui ai demandé de choisir, de faire le point. Je lui ai laissé trois semaines pour réfléchir et me donner sa réponse.

— Effectivement, c'est du grand n'importe quoi ! fit Erwan sans hésiter.

Stephen grimaça de dépit.

— Je ne sais plus où j'en suis…

— Si, tu sais ! Depuis que tu es en relation étroite avec « la Justice » tu es... comment dire... différent.

— Ça veut dire quoi ? Et arrête de l'appeler « la Justice », c'est pénible. Elle a un prénom !

— O.K. Disons que Camille, elle t'a mis la tête à l'envers. Le problème, c'est que tu n'as pas envie de la remettre à l'endroit, et ça ne te ressemble pas. Je te connais depuis combien de temps déjà ?

— Trop longtemps, plaisanta Stephen. Depuis que j'ai acheté *Des mots et des maux*, donc quelques années !

— Je t'assure, Stephen, dès que tu l'as retrouvée, tu as changé. Comment un gars qui avait un certain recul sur les choses après une période très pénible a-t-il pu se laisser happer de la sorte ?

— « Happer », tu as utilisé le bon terme.

— Mais Stephen, ce n'est pas possible, avec ce que tu as vécu. Et puis à ton âge, voyons ! Tu n'as plus seize ans !

— Je sais, mais tu veux que je te dise...

— Évidemment ! l'interrompit Erwan. Enfin, je vais tout connaître de la « dulcinée story » !

Stephen se lança alors dans une longue explication où Erwan oscilla entre la surprise, la stupéfaction, et la peur de voir son ami s'effondrer.

— C'est sans doute fou, tu ne vas certainement pas me croire, mais j'aime Camille depuis le premier jour où je l'ai rencontrée. Quand elle m'a quitté, à la fête du lycée, j'étais tellement mal que je suis resté toute la nuit assis devant les grilles à me remémorer les moments que l'on avait passés ensemble.

» Les jours qui suivirent, le mal s'amplifia. J'ai cru que c'était normal et que le temps effacerait tout ça. Eh bien, le temps n'a rien effacé, rien estompé, bien au contraire !

» Chaque journée qu'il m'a été donné de vivre, j'ai pensé à elle, quelques secondes parfois, mais son visage était toujours là. Il suffisait que je ferme les yeux pour le voir. Je me demandais souvent ce qu'elle était devenue : était-elle mariée ? Avait-elle des enfants ? Mais une question, en particulier, m'obsédait : était-elle heureuse ? Sans moi, était-elle heureuse ?

» C'est vrai, j'ai fait ma vie, je me suis marié, Kayla est née. J'ai aimé l'existence que j'ai eue, mais au fond de moi Camille était là. C'est idiot, mais quelquefois j'avais l'impression que c'était la meilleure solution : l'aimer secrètement. Je me persuadais que j'avais eu beaucoup de chance de la tenir dans mes bras. Tu ne peux pas t'imaginer combien de fois sa voix a résonné dans ma tête. Il m'arrivait, dans un magasin ou dans la rue, d'entendre le rire d'une jeune fille et de me retourner... persuadé que c'était elle !

» C'est quand ma femme est morte que tout a basculé. Kayla, qui n'avait que neuf ans, m'en a voulu et m'a rendu responsable de sa disparition. Elle pensait que le décès d'Élise me libérait ; nous étions en instance de divorce et

Kayla le vivait très mal. Elle n'a pas compris que, lors de l'accident, mon corps n'avait pas pu les protéger toutes les deux. Instinctivement, je me suis jeté sur ma fille. Élise, qui conduisait, est morte sur le coup.

» J'ai plongé au plus profond d'une dépression dont j'ai bien cru ne jamais émerger. Avec l'aide du temps et de mes parents, j'ai remonté la pente.

» Kayla a grandi et a su assumer le chagrin de la disparition de sa mère. Nous nous sommes peu à peu apprivoisés, jusqu'à devenir très proches.

» C'est à partir de là que j'ai compris que la vie était trop fragile pour avoir des regrets et qu'un souvenir, c'est bien, mais une réalité, c'est sans doute mieux. Mais je n'osais pas, je m'interdisais même de chercher des informations sur Camille.

» Et puis, il y a eu cet écran dans ce bar, mais tu dois t'en souvenir : tu l'as vu avant moi. Camille était là, toujours aussi belle. Je crois que je suis resté deux plombes à regarder les infos en boucle. Tous les quarts d'heure, le même reportage. C'était un signe, j'en étais sûr, alors j'ai osé. La suite, tu la connais...

Erwan n'avait toujours rien dit ; la bouche ouverte, il écoutait son copain. C'était assez rare pour que Stephen le lui fasse remarquer.

— Tu as perdu l'usage de la parole ?

— Non, enfin... Tu vas finir par me faire croire à toutes tes conneries ! C'est touchant, ton discours. Pourquoi tu ne lui as pas déballé tout ça au lieu de lui lancer ton stupide ultimatum ?

— Parce que je n'ai plus envie de la partager, parce que je ne veux plus vivre caché, parce que... j'ai été nul !

Erwan paraissait songeur.

— Mais tu veux quoi exactement ?

La réponse de Stephen fusa.

— Elle !

— Comment ça, elle ? Mais ça ne veut rien dire ! s'exclama Erwan.

— Si, elle ! Camille !

— Oui, j'avais compris ! Mais ce n'est pas comme ça que ça se passe. Ce doit être compliqué pour Camille. Tu as vu, j'ai prononcé son prénom... tous les espoirs sont permis !

Erwan sortit de sa poche un paquet de cigarillos, en alluma un et inhala lentement une première bouffée.

— Tu refumes ? Je croyais que tu avais arrêté ?

— Mais j'ai arrêté !

— Tu te fous de moi ?

— Je ne fume pas, je déstresse ! Tu m'inquiètes, Stephen ! Ça m'aide à réfléchir.

Erwan prit un air grave, il recrachait régulièrement d'épaisses bouffées de fumée odorante. Les clientes de la table d'à côté lui jetèrent un regard de désapprobation.

— Tu le lui as lancé quand, ton « ultimatum » ? demanda-t-il.

— Hier, en début d'après-midi.

— Super, ça laisse donc vingt jours pour rattraper tes conneries ! répliqua Erwan, qui écrasa son épais mégot au grand soulagement de leurs voisines avant de poursuivre : J'aimerais que tu sois bien conscient de la situation dans laquelle tu as mis Camille.

— La situation de choisir ! Mais j'ai été trop direct, trop brusque.

Erwan hocha la tête, manifestement pas d'accord, et tout en soupirant lâcha avec sincérité :

— « La situation de choisir », ah non ! C'est là que tu te trompes, mon ami, assura-t-il.

— Non. C'est un choix qu'elle doit faire et...

Erwan le coupa.

— Arrête ! Je t'ai écouté avec attention. À toi maintenant d'ouvrir grand tes oreilles !

Il ralluma un cigarillo. Les regards de leurs voisines se transformèrent en arcs tendus prêts à décocher leurs flèches.

— Avec Camille vous vivez une passion...

— Mais...

Erwan fronça les sourcils.

— Ne m'interromps pas !

Stephen baissa la tête et laissa son ami lui exposer son point de vue.

— Oui, je te le confirme, vous vivez une passion d'adolescents ! Une forme d'amour non contrôlable ! Le problème, c'est que vous n'avez plus seize ans, mais quarante-cinq. Tu vois, je vais être franc ! Je ne crois pas que vous pourrez continuer de la sorte. Votre histoire ne résistera pas à la platitude des jours qui passent. La passion, c'est d'abord subir, ça, vous êtes en train de découvrir ce que c'est, mais une aventure comme la vôtre, c'est surtout souffrir... et là, je ne crois pas que vous teniez bien longtemps !

Erwan suspendit son discours un instant. Stephen ne dit rien, espérant quelques mots plus optimistes de la part de son ami. Erwan recracha à plusieurs reprises son épaisse fumée. Il poursuivit :

— Tu souhaites que Camille choisisse de vivre avec toi ? Qu'elle quitte son mari et ses enfants, c'est bien ça ?

Stephen hésita et se mit à bafouiller :

— Euh... oui... enfin...

— Mon gars, faudrait savoir ce que tu veux ! Sois logique. Tu lances un ultimatum et tu hésites ?

— En fait, je ne sais pas si je pourrais tenir ma résolution de mettre un terme à notre relation si elle refuse de vivre avec moi.

— Tu as pensé à la vie que tu pourrais lui offrir ?

Stephen grimaça d'agacement.

— Tu y as pensé ? insista Erwan, impitoyable. Sera-t-elle heureuse sans ses enfants ? Pourras-tu lui offrir le confort de vie qu'elle a toujours eu ? Crois-tu que le premier étage de ta librairie rivalise bien longtemps avec sa résidence de Saint-Rémy ? Tu dois te poser toutes ces questions. Elle est devenue une femme accomplie avec des engagements et des responsabilités.

Stephen haussa le ton et s'agita sur sa chaise.

— Nous nous aimons !

— Non ! C'est ce que j'essaie de t'expliquer ! Vous ne vous aimez pas ! Vous vivez une passion, c'est totalement différent. Un amour survit à quelques arrangements, à des petits mensonges, quelquefois à de la lassitude, mais pas une passion !

Stephen, dubitatif et le regard rivé sur son verre, resta un moment silencieux. Au fond de lui, il savait que son ami n'était pas loin de la vérité.

— Tu me fous le bourdon…

— Sans doute, mais je crois que tu en as besoin. Au fond je me demande si…

— Euh… oui… je t'écoute.

— … Je me demande si la solution la plus raisonnable ne serait pas de continuer votre histoire telle que vous la vivez aujourd'hui.

— C'est précisément ce que je ne veux pas, insista Stephen.

Erwan se recula sur sa chaise et répondit, un peu agacé :

— Je sais ! Donc si j'ai un dernier conseil à te donner, c'est d'appeler Camille et de lui proposer de discuter tranquillement de la suite de votre histoire.

— Quel soutien ! soupira Stephen…

— Peut-être, mais en tant qu'ami, je te dois la vérité.

Ils finirent leurs verres dans un silence pesant, puis regagnèrent leurs boîtes vertes de l'autre côté du boulevard. Erwan porta sa main à son oreille, imitant un téléphone, le pouce et l'auriculaire tendus. Stephen acquiesça d'un signe de tête. Il appellerait Camille dans la soirée, lorsque le flux des clients se ferait moins dense.

Stephen n'osait pas se l'avouer, mais il savait que son ami avait raison. Leur conversation l'avait mis face à ses responsabilités et un questionnement intense s'imposa à son esprit tout au long de l'après-midi.

Pourquoi les amours que l'on vit à seize ans ne peuvent-elles pas durer toujours ? Pourquoi une passion que l'on a éprouvée si jeune devrait-elle être moins puissante qu'un sentiment naissant à vingt, trente ou cinquante ans ? Pourquoi sourions-nous lorsque deux lycéens se promettent l'éternité en nous disant que le temps passera et que quand ils auront « grandi », ce sera bien différent, car ils auront « compris » ? Ils auront compris quoi ? Simplement que les adultes que nous devenons se sclérosent dans des normes et s'interdisent de vivre pour finir avec des regrets ou, pire, l'oubli.

— Je ne pourrai jamais l'oublier, murmura Stephen, incapable de trouver la moindre solution.

Vers 18 heures, les clients se firent plus rares. Stephen tenta de joindre Camille au téléphone, en vain. Il lui envoya un premier message.

Camille, je t'en supplie ! Il faut qu'on reparle calmement de tout ça ! J'attends ton appel. Je t'embrasse.

Les boîtes vertes fermaient les unes après les autres, Stephen classait ses livres. Il était nerveux et fit tomber plusieurs volumes.

Une voix rocailleuse se fit entendre.

— Fais donc attention, tu vas les abîmer !

— Simon, mon ami ! Que fais-tu là ?

Le vieil homme, un mégot à moitié éteint collé à la lèvre inférieure, se baissa pour ramasser quelques livres.

— J'ai fermé mes boîtes, terminé pour aujourd'hui ! Demain sera un autre jour, fit-il en se relevant lentement, une main sur ses reins douloureux.

Stephen se saisit des ouvrages et l'invita à s'asseoir.

— Laisse-moi faire, installe-toi donc sur ma chaise. Discutons un peu le temps que je termine de ranger mon bazar.

— Il faudra bien qu'un jour tu te décides à classer tes bouquins. Comment t'y retrouves-tu ? s'exclama le vieil homme.

Puis, sans attendre de réponse, d'un geste il refusa la chaise que lui proposait Stephen.

— Non, merci, mais je dois y aller, j'ai un rendez-vous.

Simon s'éloigna du stand, mais après quelques mètres, il se retourna et lança :

— Tiens, au fait, j'ai revu la « petite dame » !

— La « petite dame » ?

— Oui, comment se prénomme-t-elle déjà ?

— Mais de qui parles-tu ? s'étonna Stephen.

— Je l'avais renseignée il y a un moment déjà ; elle te cherchait. Elle m'a confirmé qu'elle avait pu te rencontrer à *Des mots et des maux*. Une vieille connaissance, m'a-t-elle dit.

— Ah bon, je ne vois pas. Parce que des clients, tu m'en envoies toutes les semaines !

Simon leva sa casquette et se gratta la tête.

— Je n'ai plus aucune mémoire, pesta-t-il. Camille, oui, c'est ça : Camille ! Tu la connais, c'est bien ça ?

Instantanément, le visage de Stephen se crispa.

— Tu l'as vue quand ?

— Hier, en milieu d'après-midi.

— Ah... et... que faisait-elle là ?

Simon semblait perplexe et interpella son ami.

— Tu m'as l'air bien songeur d'un coup...

— Oui, je... la connais.

— O.K., je n'insiste pas. Pour répondre à ta question, elle paraissait perdue, soucieuse, triste ou les trois à la fois.

— Et... que cherchait-elle ?

— Rien de précis. Perdue, je te dis ! Elle cherchait des drogues !

— Des drogues ! Comment ça ? s'écria Stephen, déconcerté par l'affirmation de Simon.

— T'inquiète, des drogues light ! Tu la connais bien, je suis sûr ! insista-t-il.

Stephen bafouilla quelques mots qui donnèrent la meilleure des réponses au vieil homme.

— Oui... un peu... on s'est vus... quelquefois... En fait, c'était, non, c'est une... connaissance ancienne...

— Très bien, mon ami. Allez, je m'en vais pour de bon cette fois.

— Au revoir, Simon.

Avant de reprendre la direction de l'arrêt de bus, celui-ci s'adressa une dernière fois à Stephen.

— Elle n'était vraiment pas bien, ton... ancienne connaissance !

Ces derniers mots avaient fait comprendre à Stephen que Camille souffrait autant que lui. En fait, il lui avait demandé de choisir entre ses enfants, son mari, sa vie confortable, sa réputation d'avocate et de femme forte prête à tout endosser, tout supporter et... un souvenir : lui ! Équation quasiment impossible à résoudre !

De retour dans sa boutique, tout en terminant de ranger ses dernières piles de livres, Stephen vérifia à plusieurs reprises sur son Smartphone s'il n'avait pas reçu de réponse de Camille. Cela faisait maintenant près d'une heure qu'il avait envoyé son message. Il était inquiet ; il pensa qu'elle ne désirait pas lui répondre.

Il décida de lui écrire à nouveau.

Réponds-moi, STP ! Nous devons parler. À plus de toi !

Avant d'appuyer sur la touche « envoyer », Stephen relut son message. Il eut un léger sourire : « À plus de toi ! » C'était Camille qui avait inventé cette expression. Elle ne supportait pas les « je t'aime » et les « mon chéri » ; ça faisait « nunuche », disait-elle. « À plus de toi ! » était devenu un code entre eux, comme l'espoir de se revoir, de s'aimer encore davantage.

21 h 30 venaient de sonner à la pendule de la librairie. Stephen, avachi sur son canapé, triturait son portable, surfant çà et là pour faire passer le temps dans l'attente d'une réponse.

22 heures, et toujours rien. Il ne put s'empêcher de tenter à nouveau de la joindre.

Aucune sonnerie, son appel bascula directement sur la messagerie.

Il savait qu'il ne trouverait pas le sommeil et partit retrouver quelques amis aux *Deux Amants des berges*, un bar-club privé du quartier où, lorsque le moral avait tendance à s'effriter, il avait l'habitude de diluer ses inquiétudes dans quelques verres de tequila ou de mojito glacés.

Stephen rentra chez lui à 2 heures du matin. Toujours aucune nouvelle. Il préféra rester sur son canapé plutôt que rejoindre sa chambre et contempler le plâtre du plafond sans pouvoir s'endormir.

6

Trop de questions !

J'aime les gens qui se posent trop de questions.

Ceux qui tremblent quand la nuit s'annonce, ceux qui abandonnent pour, inlassablement, recommencer.

J'aime ceux qui hésitent, qui laissent filer avec lenteur le temps qu'ils perdraient à courir trop vite.

J'aime ceux qui pleurent dans le noir quand les émotions remontent trop fort.

Ceux qui crient de joie, ceux qui hurlent de douleur, ceux qui doutent chaque soir et espèrent chaque matin.

J'aime les gens qui se posent trop de questions...

— Mesdames et messieurs les voyageurs, nous avons le regret de vous annoncer que, comme d'habitude, nous avons un retard... indéterminé, dit Kalynia en s'approchant du lit.

Camille, encore dans un demi-sommeil, ouvrit les yeux.

— Ma belle, que fais-tu là ? C'est si gentil d'être venue ! dit-elle en relevant le buste trop rapidement.

Kalynia l'enveloppa de ses bras, mais un vertige obligea Camille à reprendre sa position allongée.

— Les embrassades, ce sera pour plus tard, repose-toi. Eh oui, tu vois, j'ai bravé les horaires aléatoires de la SNCF pour venir voir ma belle-sœur préférée. Richard nous a prévenus hier.

— Ça me fait tellement plaisir que tu sois là ! Evan, les enfants, comment vont-ils ?

— Très bien, et toi ? Et Vanessa, son intervention s'est bien passée ? demanda Kalynia tout en caressant le visage de Camille.

— Elle a été opérée hier soir. Ils ont réduit sa fracture et posé un plâtre. Ils l'ont gardée en surveillance en salle de réveil toute la nuit ; elle souffre beaucoup. J'espère que je pourrai la voir ce matin.

— Tant mieux ! Car hier Richard n'était pas rassuré. Nous avons eu peur pour elle.

— C'est ma faute, tout ça ! lui avoua Camille.

— Ta faute ? s'étonna la jeune femme.

Camille prononça le début de la phrase qu'elle avait murmurée à plusieurs reprises la veille au soir.

— J'ai failli tuer ma fille !

— Qu'est-ce que tu racontes ? C'est un malheureux accident, voilà tout, assura Kalynia.

Camille serra la main de sa belle-sœur un peu plus fort, la fixa de son regard vide et poursuivit :

110

— J'ai failli tuer ma fille parce que… j'ai oublié que j'avais des enfants !

Sur le ton de la plaisanterie, Kalynia tenta de rassurer son amie.

— Ça devait arriver, tu n'y es pour rien ! J'espère qu'il était beau au moins, le chauffeur ; tu lui as fait un sacré coup de la panne.

Camille ne l'écoutait pas.

— Je pensais à autre chose, je n'étais plus en train de conduire… Tout à coup, ma vue s'est brouillée, je ne sais pas ce qui s'est passé !

Une nouvelle fois, Kalynia s'efforça de la rassurer.

— Comme tout le monde ! L'esprit s'égare et des milliers de pensées nous traversent l'esprit.

— Non, pas des milliers… une seule, lancinante, obsédante !

Kalynia comprit que les propos de Camille allaient bien au-delà de l'expression d'une fatigue et d'une inquiétude pour Vanessa. Elle se tut un instant, ne sachant quelle réponse apporter à l'affirmation de son amie.

Elle ne voulait pas continuer à la questionner ; elle la sentait trop fatiguée. Elle changea de sujet, ou plutôt essaya de fournir une explication à cet accident.

— Camille, le boulot t'épuise !

— Tu as raison, mais ça n'a rien à voir.

— Tu devrais gérer moins de dossiers. Tu es une killeuse des tribunaux, mais ça te prend beaucoup trop d'énergie. Lève le pied, prends ce qui vient de t'arriver comme un avertissement.

— Un avertissement… oui… peut-être.

Le silence s'imposa de longues minutes dans la chambre encore plongée dans la pénombre.

Pour rendre visite à son amie bien avant l'heure autorisée, Kalynia avait usé de toutes les ruses possibles.

Soudain, deux coups secs à la porte.

— Bonjour madame Mabrec, comment allez-vous ? Je vais vous ouvrir les...

L'aide-soignante, surprise par la présence de Kalynia, ne termina pas sa phrase.

— Que faites-vous là ? Les visites ne sont autorisées qu'à partir de 11 heures. Je vous demande de sortir ; Mme Mabrec doit prendre son petit déjeuner, puis il y a la toilette et les soins.

Camille, pour faire diversion, demanda à l'aide-soignante :

— Quand pourrai-je voir ma fille, s'il vous plaît ?

— Elle a été installée dans sa chambre tôt ce matin, vers 4 heures. Elle dort encore, mais... attendez un instant.

L'aide-soignante se dirigea vers le bureau des infirmières.

L'étage se réveillait au rythme des bruits métalliques des plateaux du petit déjeuner et des claquements des portes d'ascenseur.

Camille s'adressa à son amie en chuchotant :

— Tu viens voir Vanessa avec moi !

— Je crois qu'elle va me mettre dehors, la maîtresse femme. Tu as entendu ce qu'elle m'a dit ? Et tu as vu son regard ?

— Pas de souci, tu m'accompagnes, je préfère !

L'aide-soignante était déjà de retour.

— Très bien, dit-elle, vous avez l'autorisation d'y aller après avoir pris votre petit déjeuner ; il vous faut des forces. Mais cinq minutes seulement et...

Découvrant que Kalynia n'était pas partie, elle s'écria, contrariée :

— Vous êtes toujours là ? Je crois vous avoir déjà demandé de revenir aux heures des visites, non ?

Décidée à se conformer au règlement, la jeune femme se leva et voulut embrasser sa belle-sœur.

— Elle vient avec moi, après elle s'en va. Mais elle vient avec moi, j'y tiens ! lança fermement Camille.

Prise entre deux feux, Kalynia attendait la décision qui allait lui être imposée.

— Non, madame Mabrec ! Le règlement est strict à ce sujet ! insista l'aide-soignante. Imaginez que...

Camille ne la laissa pas terminer sa phrase.

— Elle m'aide à prendre mon petit déjeuner, puis elle m'accompagne juste cinq minutes pour rendre visite à ma fille !

— Je ne peux pas prendre seule cette initiative, fit l'aide-soignante tout en appuyant sur son bip.

Une infirmière, qui discutait dans le couloir, entra dans la chambre.

— Que se passe-t-il ? Bonjour madame Mabrec. Vous avez repris quelques couleurs, c'est bien !

L'aide-soignante expliqua rapidement la requête de Camille.

— Qui êtes-vous, madame ? demanda-t-elle à Kalynia.

— Je suis...

— C'est ma sœur, précisa Camille sans aucune hésitation.

— Votre sœur ! s'étonna l'infirmière.

Se tournant vers Kalynia, elle demanda, comme si elle cherchait une confirmation :

— Vous êtes donc...

— Eh bien... la tante de Vanessa !

Ça, au moins, c'était vrai.

L'infirmière détailla rapidement le physique de Kalynia qui ne lui semblait pas en adéquation avec les gènes de Camille. Elle constata également son accent nordique. Elle n'était pas dupe de la supercherie, mais elle hésita quand même à leur refuser cette faveur. Au fond, l'opération de Vanessa avait été difficile, il était préférable que Camille ne soit pas seule pour découvrir sa fille branchée de tous côtés.

— Très bien, mais pour le reste de votre séjour, vous direz à... votre sœur de respecter les horaires. Je comprends qu'aujourd'hui vous préfériez être accompagnée.

Camille la remercia.

À Saint-Rémy-lès-Chevreuse, Lucas dormait déjà lorsque Richard rentra de l'hôpital vers 23 heures. Il donna quelques nouvelles à

Boussara et lui suggéra de s'installer, pour la nuit, dans la chambre d'amis située à côté de celle de Lucas. Son fils, perturbé par l'accident de sa mère et de sa sœur, avait sûrement besoin d'une présence féminine et réconfortante auprès de lui.

— Je vous ai préparé un peu de gratin, je peux le faire réchauffer si vous le désirez... proposa Boussara.

Épuisé de fatigue et de stress, Richard avait les traits tirés.

— Avec plaisir, je monte embrasser Lucas et je reviens.

Quand il redescendit, Boussara sortit l'assiette de gratin du micro-ondes. Silencieux, il alla s'installer au salon et se servit son habituel whisky du soir qu'il avala d'un trait. Boussara posa le plateau-repas sur la table basse. Richard alla chercher dans le réfrigérateur une bouteille de saumur blanc qu'il avait entamée la veille.

— Monsieur, ça ne me regarde pas, mais vous devriez manger un peu... Et puis... vous savez... ça ne sert à rien de boire, ça ne réglera rien !

Il haussa les épaules.

— Vous avez peut-être raison, dit-il sans conviction.

— Désolée, mais ce n'est pas bon, tout ça. Votre femme, Vanessa et Lucas, ils ont besoin de vous.

Richard l'invita à s'asseoir sur le fauteuil en face du canapé.

— Je ne vous propose pas un verre, je suppose ?

— Non, vous savez ce qu'on dit chez moi ?

— À quel propos ?

— Que l'alcool du soir est mauvais conseiller, car il provoque des cauchemars que nous vivrons un jour.

— Un dicton ! fit-il en avalant une nouvelle gorgée de vin.

Avec sa bonhomie habituelle, Boussara tenta l'humour.

— Mangez un peu ; je n'ai pas envie de vous transporter à l'étage. Je suis costaud, mais là, je ne suis pas sûre d'y arriver.

Sa remarque arracha un léger sourire à Richard, qui lentement piqua sa fourchette dans son assiette. Il avala quelques bouchées de gratin avant de se caler au fond du canapé, son verre de vin à la main. Son visage exprimait une profonde lassitude, le stress et la fatigue l'envahissaient.

Boussara travaillait depuis près de dix ans pour le couple Mabrec. Elle n'avait jamais vu Richard dans un tel état. Parfois Camille lui faisait part de ses inquiétudes sur son métier, les enfants, mais Richard jamais : un roc... en apparence. Ce soir le bloc de pierre se fissurait.

Elle fut touchée par cet homme qui, ces temps-ci, buvait un peu trop pour relâcher la pression. Les affaires qu'il gérait au cabinet devenaient de plus en plus complexes, les clients ne reculant devant aucune audace pour contourner le fisc ou affaiblir la concurrence. Les difficultés qu'il vivait dans sa vie conjugale ne faisaient que renforcer son stress. Si seulement il avait pu se confier à sa femme, les verres de whisky et de vin ne seraient pas devenus trop souvent ses compagnons de soirée, mais Richard n'avait jamais appris à parler de ses tourments ; son éducation stricte ne l'y avait pas incité.

— Vous savez, Boussara, je crois que je n'ai jamais eu aussi peur de ma vie. L'accident de Camille et de Vanessa, l'hôpital, l'opération... c'est terrible. J'ai cru les... perdre !

Elle tenta d'apaiser son angoisse.

— C'est normal, mais tout va bien. L'opération de Vanessa sera vite oubliée et votre dame n'a rien de grave, non ?

— Oui, oui... hésita-t-il. Vous savez ce qui m'a le plus... choqué ?

Boussara attendait impatiemment la suite du récit.

— Non...

— Le visage de Camille... Vide, il était vide... comme si elle n'était pas là, pas avec moi. J'étais perdu !

— Le contrecoup de l'accident, la peur, l'inquiétude, répondit-elle.

— J'étais perdu ! répéta-t-il avant de s'effondrer sur le canapé, vaincu par la fatigue.

Boussara lui retira ses chaussures et allongea ses jambes. Elle étendit sur lui une couverture et débarrassa le plateau-repas. Puis elle éteignit la lumière et monta se coucher.

Le lendemain matin, alors que Boussara s'apprêtait à rentrer chez elle, Richard émergeait à peine d'un sommeil agité.

Elle le secoua pour le réveiller et le prévenir de son départ.

— Monsieur, monsieur, excusez-moi, je dois y aller. Lucas dort encore.

Il s'assit péniblement et se frotta les yeux.

— Bien sûr... Merci Boussara... Je vais m'occuper de mon fils.

— Si vous avez besoin, je peux rester aussi ce soir. N'hésitez pas et donnez-moi des nouvelles dès que vous pourrez.

— Très bien, merci encore.

— Bon courage.

Le père et le fils parlèrent peu. En préparant le petit déjeuner, Richard donna quelques informations à Lucas, qui n'attendait qu'une chose : partir pour l'hôpital. Les visites étaient autorisées à partir de 11 heures et Richard souhaitait être là-bas un peu plus tôt.

Alors qu'il tentait de finir de se réveiller sous la douche, Lucas le bombarda de consignes.

— Papa, il faut que tu appelles mon collège !

— Pourquoi ?

— Parce que je serai absent... au moins ce matin.

— Oui, oui, bien sûr, je le ferai de la voiture.

— Papa, il faudra que tu remplisses mon cahier de liaison.

— Oui, dès que j'ai fini.

— Et, pour le spectacle de fin d'année, il faut que tu me fasses un chèque pour le prix des places.

— D'accord, je vais le faire.

Richard sortit de la douche, s'essuya et se dirigea vers le miroir. Il se peigna rapidement et regagna sa chambre afin de finir de se préparer.

— Ah oui aussi, papa, mes baskets blanches sont fichues, il m'en faudrait une autre paire.

Tout en boutonnant sa chemise, sur le ton de la plaisanterie, Richard remarqua :

— Quel emploi du temps ! Pire qu'un ministre !

Il vit apparaître le visage de son fils à l'entrée de la chambre.

— Pourquoi tu dis ça ?

— Eh bien, en ce moment il y a de nombreuses choses à régler, dis-moi !

— Non, c'est toujours comme ça !

— Ah bon ?

Avant de disparaître, Lucas expliqua, le plus naturellement du monde :

— C'est maman qui s'en occupe, d'habitude !

Il avait répondu avec la spontanéité d'un enfant. Mais dans l'esprit de son père, cette réponse claqua comme un reproche.

Ils arrivèrent à l'hôpital à 10 h 30. Mathilde et Hubert, comme ils l'avaient promis, étaient déjà là. Ils attendaient patiemment l'heure des visites dans le hall.

Lucas sauta dans les bras d'Hubert, qui n'eut que le temps de se caler le dos contre l'un des poteaux de la salle pour ne pas tomber à la renverse.

— Alors mon grand, comment vas-tu ? Tu vas devoir nous supporter quelques jours, au moins jusqu'à ce que ta mère et Vanessa soient de retour à la maison.

— Yes, trop content ! affirma Lucas en se dirigeant vers Mathilde, qui l'embrassa avec douceur.

— Tu as eu d'autres nouvelles ? demanda Hubert à Richard.

— J'ai eu Camille au téléphone tout à l'heure, ça... a l'air d'aller.

Hubert parut surpris.

— Tu ne sembles pas très convaincu...

— Eh bien... Camille m'inquiète, son moral me semble au plus bas, avoua Richard.

— C'est une réaction classique, le choc a été violent, et puis elle a eu très peur pour sa fille.

Mathilde, que Lucas venait enfin de lâcher, confirma les propos de son mari.

— Elle va mettre du temps à digérer tout cela. Et toi aussi, tu as subi un choc, sois patient !

Richard soupira.

— C'est ce que tout le monde me dit... Je vais me renseigner. Attendez-moi.

La standardiste s'informa auprès du service où était hospitalisée Camille, et ils eurent l'autorisation de lui rendre visite un peu plus tôt que le règlement ne l'imposait.

En compagnie de Kalynia, Camille avait pu voir sa fille. La vision de Vanessa allongée avec sa jambe gauche plâtrée, relevée par des poulies d'acier, branchée à de multiples appareils mesurant tout un tas de paramètres n'avait fait qu'empirer sa détresse. Kalynia n'avait rien dit, elle s'était contentée de la soutenir.

Vanessa n'était pas encore totalement consciente ; les doses d'anti-inflammatoires et de calmants qui lui avaient été administrées la maintenaient dans un état léthargique.

Camille posa sa main sur la joue de sa fille, qui ouvrit les yeux et esquissa un sourire.

— Comment vas-tu ? demanda-t-elle en l'embrassant tendrement.

Elle laissa ses lèvres un long moment sur le front de Vanessa avant que Kalynia l'invite à se redresser. Vanessa ne répondit que par quelques clignements d'yeux.

L'infirmière s'approcha de Camille et la rassura à voix basse.

— Tout va bien, madame, ne vous inquiétez pas. En fin de journée, nous allons débrancher tous ces appareils. Elle ne gardera que la perfusion afin de gérer la douleur.

— Mais elle ne dit rien ?

— C'est normal, c'est l'effet des calmants !

— Mais… elle m'entend ?

— Bien sûr ! Mais je vous propose de ne pas prolonger votre visite pour le moment. Vous pourrez revenir la voir plus longuement à partir de ce soir. Laissons-la se reposer.

Kalynia prit Camille par le bras.

— Allez viens, Richard et Lucas ne devraient plus tarder. Regarde, elle va bien !

Avant de sortir de la chambre, Camille embrassa de nouveau sa fille et chuchota à son oreille :

— Pardonne-moi, ma chérie, pardonne-moi. Je t'aime !

Vanessa ferma les yeux et sembla s'endormir.

Lorsque Camille, accompagnée de Kalynia, entra dans sa chambre, Richard, Lucas, sa « petite mère » et son « petit père » étaient déjà là à l'attendre.

Elle étreignit longuement son fils ; elle avait besoin de s'assurer que lui, au moins, était en pleine santé.

Elle sentit une vague de bien-être l'envahir, comme si Lucas lui transmettait une partie de son inépuisable énergie.

Elle embrassa son mari et lui parla de sa visite à Vanessa. Richard l'écouta impatiemment et, malgré la désapprobation de sa femme, décida de se rendre sans tarder au chevet de sa fille.

Mathilde et Hubert s'approchèrent de Camille, qui s'apprêtait à l'en empêcher.

— Laisse-le ; il a besoin de la voir.

— Bien sûr, mais elle est faible et elle vient de s'endormir.

Le visage de Camille avait repris quelques couleurs. La présence de son fils et de ses « parents d'adoption » lui faisait du bien.

Kalynia comprit que sa belle-sœur avait, de son côté, besoin de passer du temps avec

122

eux. Elle prit congé tout en lui promettant de repasser le lendemain en fin de matinée, avant de repartir pour Montpellier. La saison touristique commençait et elle ne pouvait pas s'absenter trop longtemps.

Mathilde et Hubert proposèrent à Camille de s'occuper de Lucas et de la maison de Saint-Rémy, au moins jusqu'à sa sortie, prévue trois jours plus tard. Elle accepta avec plaisir ; cela permettrait à Boussara de souffler un peu.

Camille se sentait soulagée de les avoir auprès d'elle. Ils représentaient une forme d'assise sur laquelle elle s'était toujours appuyée lorsque les événements de la vie étaient trop difficiles à supporter. Ils étaient ses confidents, chacun à sa façon. Mathilde comme une maman à qui l'on avoue ses inquiétudes et les bobos qui abîment l'âme. Hubert comme un papa avec qui l'on partage ses secrets. Camille n'avait pas hésité à lui confier l'existence de sa relation avec Stephen, il n'en avait jamais rien dit à Mathilde.

Certaines personnes nous apaisent. Il n'y a souvent aucune raison particulière à cela, c'est comme une forme d'alchimie naturelle qui se crée. Lorsqu'elle était avec eux, Camille se sentait protégée.

Aujourd'hui, sa « petite mère » et son « petit père » étaient à ses côtés. Ils parlaient peu, mais ils étaient là et elle se sentait plus forte pour affronter… la suite et toutes ces questions qui l'oppressaient.

Voyant que Lucas, enfermé dans cette chambre d'hôpital, commençait à s'impatienter, Hubert et Mathilde proposèrent de l'emmener déjeuner au McDo du boulevard Saint-Michel, non loin de son collège. Ainsi, il ne serait absent qu'une demi-journée. Ils reviendraient dans la soirée pour rendre visite à Vanessa.

Lucas était enchanté et, pour tout dire, amusé à l'idée de voir Mathilde et Hubert mordre dans un hamburger dégoulinant.

— Attention à toi, mon petit ! plaisanta Hubert. J'ai mangé bien pire à l'armée. Tu vas voir si « les vieux n'assurent pas » avec ta nourriture chewing-gum !

Camille et Richard étaient désormais seuls.

Après un déjeuner servi vers 11 h 30, Camille s'assoupit, tandis que Richard allumait le téléviseur en mode silencieux et se calait pendant près d'une heure devant les informations de la mi-journée, puis devant les séries à l'eau de rose du début d'après-midi.

Lorsque Camille émergea, ils évoquèrent les problèmes que son absence n'allait pas manquer de poser au cabinet.

— Je vais lancer un recrutement, le temps que tu puisses reprendre le travail.

— Oui, si tu veux... Et au fait, le dossier Durontin ? Le juge... mon rendez-vous ?

— Claudia a géré ça de main de maître, elle a obtenu une entrevue pour la semaine prochaine. J'irai le voir mardi au Palais.

Camille saisit la main de Richard.

— Et dire que tu ne voulais pas que je l'embauche, tu te souviens ?

— Oui, mais… tu as toujours parfaitement géré le cabinet, reconnut Richard.

— Le cabinet… oui…

Un silence pesant s'installa. Gêné par la remarque de sa femme, Richard se leva et fit quelques pas.

— Au fait, le médecin doit venir faire un point à 18 heures, fit-il.

Une fois de plus, il fuyait les conversations trop personnelles. Camille acquiesça.

— Très bien.

En fin d'après-midi, le médecin leur fit un résumé détaillé de l'opération de Vanessa et des soins qu'elle devrait suivre. À la fin de son hospitalisation, elle réintégrerait son domicile avec des séances de kinésithérapie afin de limiter la raideur de sa jambe. Mi-août, un bilan radiologique serait réalisé pour vérifier que le plâtre pouvait être retiré.

Lorsqu'il évoqua le cas de Camille, le médecin eut un discours moins affirmé. Tous les examens neurologiques qu'elle avait subis étaient parfaitement normaux. Seule une tension trop élevée avait été diagnostiquée.

Mais Camille présentait encore, sur de très courtes périodes, des épisodes de confusion que le neurologue n'arrivait pas à expliquer. La décision fut prise qu'un nouveau bilan serait réalisé avant d'envisager sa sortie.

Le médecin venait juste de terminer son compte rendu quand Mathilde, Hubert et Lucas arrivèrent. Camille se leva et prit son fils dans ses bras.

— Raconte-moi, ton après-midi s'est bien passé ?

— Trop cool ! Tout le monde s'occupait de moi ! fit Lucas tout en se libérant de l'étreinte de sa mère.

— Ah bon ! Et pourquoi donc ?

— Ben... c'est-à-dire... Au collège, j'ai peut-être un peu insisté sur ton état et celui de Vanessa, avoua-t-il en baissant les yeux.

— Lucas, enfin ! Tu n'as pas honte, lui fit remarquer son père en haussant fortement la voix.

Hubert saisit Richard par le bras et le rassura.

— Ne t'inquiète pas, quand nous l'avons récupéré à 17 heures, le conseiller principal d'éducation a souhaité nous parler. Nous avons rétabli la vérité.

— Très bien, fit Richard, qui se calma aussi vite qu'il s'était énervé.

Camille demanda à son fils s'il souhaitait voir sa sœur.

— Bien sûr ! Allez, on y va ! répondit-il, trépignant d'impatience.

Elle posa ses mains sur ses épaules.

— Avec papa, nous avons pensé que ce serait bien, mais... comment te dire... elle a été opérée et elle est... branchée de tous les côtés

126

encore jusqu'à ce soir. Si tu préfères, nous irons demain.

Le sourire de Lucas illumina son visage.

— Comme dans *Dr House* ?

Toute la chambre se mit à rire.

— Si tu veux, mon fils, comme dans *Dr House*.

— Je veux la voir, insista-t-il.

— Très bien, alors allons-y ! déclara son père.

Il était près de 20 heures. Mathilde, Hubert et Lucas étaient déjà rentrés à Saint-Rémy-lès-Chevreuse. Richard était encore avec sa femme, mais il trépignait d'impatience.

— Va te reposer si tu veux, lui proposa-t-elle.

Il hésita et déclara, gêné :

— Écoute, je souhaiterais passer au bureau avant de rentrer à la maison. Si ça ne t'embête pas...

— Je comprends. Et que veux-tu qu'il m'arrive avec tous ces médecins ? Vas-y !

— Très bien, à demain donc.

Il embrassa sa femme et sortit à grandes enjambées de la chambre.

Camille avait besoin de bouger. Elle se dirigea vers l'ascenseur ; elle souhaitait faire quelques pas à l'air libre.

Lorsqu'elle passa devant le bureau des infirmières, l'une d'elles l'interpella.

— Madame Mabrec, allez-y doucement. Vous êtes encore faible.

— Ne vous inquiétez pas, j'ai tout mon temps !

— Ah au fait, on vient de nous déposer votre sac à main. Les pompiers l'ont récupéré sur les lieux de l'accident. Je vous le porte dans votre chambre.

— Oui, merci...

— Je le mets sur le fauteuil.

Tout à coup, Camille se ravisa et fit demi-tour. Elle fouilla dans son sac et fut rassurée : son portable était intact et avait encore de la batterie.

— Je récupère mon téléphone... Je descends pour écouter... mes messages.

— Comme vous voulez !

Camille s'installa dans un des nombreux sièges du hall. Elle préféra se mettre à l'écart, loin du comptoir de l'accueil. Elle avait reçu des appels et plusieurs SMS. Claudia, sa mère, ses amies Amélie et Sabine, ses beaux-parents et... Stephen !

Son cœur battait un peu plus fort. Elle préféra d'abord écouter le message de son assistante, qui l'assurait de son soutien et l'informait qu'elle se permettrait de prendre de ses nouvelles lorsqu'elle serait rentrée à son domicile. Elle rédigea un SMS de remerciements.

Camille ne fut pas surprise du message de sa mère, en parfaite adéquation avec ce qu'elle avait toujours été : une égoïste ! Ses phrases exprimaient plus de plaintes personnelles que d'encouragements ou d'inquiétudes pour sa fille et sa petite-fille. Elle disait qu'elle pourrait peut-être leur rendre visite si la santé... d'Hector, son vieux perroquet, le lui permettait. Camille en avait assez entendu, elle effaça le message sans en écouter la fin.

En revanche, les mots bienveillants et emplis de compassion de ses beaux-parents l'étonnèrent ; ses rapports avec Maryse et Maxime avaient toujours été très tendus. Sa belle-mère était quelqu'un qui ne supportait pas la contradiction. Camille n'avait jamais admis qu'elle tente de s'immiscer dans sa vie privée, et surtout dans l'éducation de Vanessa et Lucas. Leurs relations étaient polies, mais parfaitement distantes. Les séjours aux *Vieux Tilleuls*, la propriété familiale des Mabrec, étaient parfois lourds à supporter, mais Camille faisait des efforts pour ses enfants et surtout pour Richard, qui prenait plaisir à y retrouver ses deux frères.

Or Camille savait que depuis l'accident ils avaient appelé leur fils à plusieurs reprises et là, Maryse lui annonçait qu'ils avaient décidé de rentrer quelques jours plus tôt. Elle n'en revenait pas ! Comme quoi, tout peut arriver ! se dit-elle.

Sabine et Amélie avaient enregistré un message commun sur un ton humoristique, cela fit rire Camille :

« Salut ma vieille, ton homme nous a expliqué ! Tu nous as fait peur, tu sais. Si on a bien compris, Vanessa n'aura pas de séquelles, c'est cool, ça ! Et toi… tu perds la tête. Tu leur as dit que… c'était déjà le cas avant ? Plus sérieusement, on espère que tes absences suite à l'accident ne sont plus que des mauvais souvenirs. Allez, on t'embrasse, une grosse bise à Vanessa. On te laisse tranquille quelques jours, mais compte sur nous : nous viendrons te voir pour vérifier que tu nous reconnais ! À plus ma belle. »

Restait ce par quoi, logiquement, elle aurait dû commencer, mais elle n'en avait pas eu le courage : le message de Stephen et ses SMS. Camille tremblait. Elle préféra se diriger vers l'extérieur de l'hôpital, elle avait besoin de respirer et de remplir ses poumons d'air non aseptisé.

La batterie de son Smartphone n'allait pas tarder à être totalement déchargée. Elle se dépêcha de lire les SMS et écouta à deux reprises le message audio avant que l'écran ne s'éteigne.

Elle demeura un long moment sans bouger, assise sur un des bancs proches de l'entrée principale, son portable entre les mains, le regard fixe. Son visage paraissait presque apaisé ; les mots de Stephen l'avaient, d'une certaine façon, rassurée ; il souhaitait qu'ils discutent calmement. Pour Camille, ce fut une forme de soulagement.

Elle devait absolument le joindre pour le prévenir de l'accident. Elle avait envie d'entendre sa voix. Elle décida de remonter dans sa chambre et de l'appeler.

Elle fouilla dans son sac à la recherche de son chargeur. En vain. Sans doute l'avait-elle oublié au bureau ou perdu dans l'accident.

Elle appela le standard et fit ouvrir la ligne fixe de la chambre. Elle ne connaissait pas par cœur le numéro du portable de Stephen, mais celui de *Des mots et des maux* était gravé dans son esprit. À chacune de ses visites, lorsqu'elle traversait la cour, elle avait face à elle l'immense pancarte de la librairie qui trônait juste au-dessus de la porte, avec le numéro de téléphone bien en évidence.

Elle tergiversa quelques minutes : qu'allait-elle lui dire ? Par quoi allait-elle commencer ? Saurait-elle trouver les mots ?

Elle composa les dix chiffres avec application. Sept sonneries retentirent avant qu'elle ne redécouvre, toujours avec la même joie, cette voix chaude et rassurante, cet accent inimitable aux intonations britanniques.

— Allô ! Stephen Lodgers. Je vous écoute !

D'un ton hésitant, comme dans un chuchotement, elle répondit :

— ... C'est moi... C'est Camille.

La voix de Stephen se troubla, il se racla la gorge.

— Camille...

Il était gêné ; il ne savait pas comment elle avait réagi à ce moment d'égarement qu'il avait eu lorsqu'il lui avait imposé son « ultimatum ».

Il balbutia :

— Camille... comment vas-tu ?... Tu as eu... mes messages ?

— Oui, Stephen, nous devons en parler... plus tard... peut-être.

Stephen, surpris par son ton évasif, demanda :

— Tu es sûre que ça va ? Et ce numéro, je ne le connais pas ! D'où m'appelles-tu ?

Camille préféra être le plus claire possible sans se perdre dans de longues explications.

— J'ai eu un accident de la circulation hier, la voiture est fichue. Vanessa a été blessée assez sérieusement à la jambe, mais elle récupérera, c'est le principal. Quant à moi, je n'ai rien, mais ils me gardent encore en observation, car j'ai présenté une période de coma.

Stephen s'affola, le flot de ses paroles eut du mal à suivre sa pensée.

— Un accident ! Comment ça ? Tu n'as rien ? Tu ne me mens pas ? Mais où es-tu ? Je viens te voir tout de suite !

— Stephen, ne t'inquiète pas ! Et je préfère que tu ne viennes pas. Je suis à l'hôpital Georges-Pompidou. Dès que je rentre à Saint-Rémy, je t'appelle. Nous aurons tout le temps...

Stephen sentit une forme de retenue chez Camille.

— Tu vas bien, tu es sûre ?

— Oui... Mais tes mots dans ta boutique et cet accident... tout ça... m'a chamboulée. Je me pose mille questions.

Camille lui parut presque distante. Il hésita avant de répondre :

— Tu as quelque chose à me dire ?

D'une voix faible et triste, elle bafouilla :

— Non, rien de précis… Mais avec tous ces événements… je ne sais plus trop où j'en suis !

— Alors parlons-en !

— Je suis fatiguée. Pas maintenant ! affirmat-elle.

Stephen ressentit une forme de malaise dans la réponse de Camille. Il était inquiet, mais n'osa pas évoquer à nouveau son désir de parler de leur avenir. Il ne poursuivit pas sur le sujet qui le préoccupait.

Malgré ses réticences, Camille avait besoin d'entendre sa voix. Ils parlèrent longuement de l'accident, de ses absences après le choc, de la blessure de Vanessa qui aurait pu être plus grave, de la réorganisation des rayons de la librairie…

Tout au long de la conversation, Stephen eut le ventre noué. Son inquiétude ne faisait que grandir. Il tenta de se raisonner et mit le comportement distant de Camille sur le compte du contrecoup de l'accident et de sa fatigue bien normale.

Soudain, l'infirmière frappa à la porte et, sans attendre la réponse de Camille, pénétra dans la chambre.

— Excusez-moi, je ne savais pas que vous étiez au téléphone. Si vous voulez voir votre fille ce soir, c'est maintenant ! Dans un quart d'heure, extinction des feux !

— Mais quelle heure est-il ? s'étonna Camille.

— 21 h 30 !

— Je ne m'en étais pas rendu compte ! Bien sûr, j'y vais.

— Ah, au fait, votre mari a essayé de vous joindre.

— Et... il a laissé un message ?

— Non, il voulait savoir si tout allait bien. Vous étiez dans le hall de l'hôpital. Nous l'avons rassuré.

— Très bien, merci !

— Je vous laisse, n'oubliez pas : un quart d'heure !

L'infirmière sortit.

Camille reprit le combiné qu'elle avait posé sur le lit.

— Je dois y aller.

— Je sais, j'ai tout entendu. Va donc embrasser ta fille. Ne tarde pas, quinze minutes... c'est parfois précieux !

— Merci Stephen.

— Merci de quoi ?

— D'être celui que tu es, ne change pas.

Stephen ne répondit pas à cette exhortation.

— Allez, file ! Et donne-moi de tes nouvelles.

— À plus de toi !

7

Ainsi vont les choses

Le temps s'enfuit, les années s'évadent, les images rassurantes du passé s'effacent peu à peu.

Alors on se projette dans l'avenir qui devient notre nouveau refuge.

L'être humain est ainsi fait : il se rassure sur ce qu'il a vécu ou sur ce qu'il vivra peut-être.

Refusant le plus facile : apprécier, une à une, les secondes qui passent sans penser à l'horloge qui inlassablement égrène le fil de sa vie.

Le médecin-chef venait de signer le bon de sortie de Camille. Malgré une fatigue persistante, son hospitalisation n'avait pas excédé la durée initialement prévue. Les examens de contrôle subis dans la matinée se révélèrent parfaitement normaux. Il n'y avait donc aucune raison que son séjour se prolonge.

Quant à Vanessa, elle rentrerait à Saint-Rémy dans quelques jours. Camille et Richard décidèrent d'alterner les visites afin que leur fille ne se sente pas trop seule dans l'ambiance déprimante de l'hôpital.

Camille venait de boucler sa maigre valise. Elle préféra attendre son mari à l'extérieur pendant qu'il réglait les formalités de sortie.

— À part la note de téléphone, tous les dépassements ont été pris en charge par votre mutuelle. Merci de régler la somme de quarante-deux euros, lui demanda la secrétaire d'une voix automatique.

Richard ne put cacher son étonnement.

— Eh bien, dites-moi, les minutes sont chères !

Elle n'apprécia guère son ton ironique.

— Les minutes non, monsieur, les heures oui ! précisa-t-elle.

— Comment ça, les heures ?

— Deux heures et cinquante-sept minutes, fit-elle en lui tendant la facture.

— Pardon ?

La secrétaire s'impatientait ; plusieurs sorties étaient programmées et la salle d'attente devant son bureau commençait à se remplir trop rapidement à son goût. Elle souhaitait clore les dossiers le plus rapidement possible et réitéra sa demande de paiement.

— Quarante-deux euros, monsieur, merci ! Vous réglez comment ?

— Par… chèque.

— Très bien.

Malgré sa surprise, Richard n'avait pas insisté et avait décidé de payer le montant des appels téléphoniques de sa femme.

Le dernier soir, ne pouvant résister, Camille avait passé près d'une heure et demie au téléphone avec Stephen.

Richard s'interrogeait sur cette durée qui lui paraissait bien excessive. Il aperçut, sur le bureau de la secrétaire, le listing des appels de chacune des chambres. Il ne pouvait pas lire le détail des numéros, mais il remarqua qu'une seule ligne figurait juste en dessous de « Camille Loubin-Mabrec : chambre 512 ».

Une fois son chèque rédigé, il allongea le cou, essayant de distinguer les dix chiffres. Instantanément, la secrétaire lui demanda de reculer afin de respecter la confidentialité des patients. Il obtempéra, mais fit exprès de s'attarder en glissant son chéquier et son stylo dans sa sacoche, espérant qu'un événement détourne quelques instants l'attention de son interlocutrice.

Lorsque la sonnerie du téléphone retentit dans le bureau vide situé derrière l'accueil, la secrétaire s'excusa et s'absenta quelques instants. Richard en profita et put découvrir que deux appels avaient été émis depuis la chambre 512 vers le même numéro. Les heures de début d'appel lui parurent bien tardives : 20 h 08 et 20 h 27. Il nota rapidement les dix chiffres au dos de son chéquier et salua la secrétaire qui ne s'était rendu compte de rien.

Il sortit de l'hôpital, passant les portes automatiques l'air interrogatif et tourmenté. Il fallait qu'il demande des explications à Camille sans tarder. Elle était déjà dans la voiture.

— Tu es bien installée ? Bascule un peu le siège, tu seras plus à l'aise, lui conseilla Richard.

— Ça va, merci ! Par contre, roule doucement, s'il te plaît. Toutes ces voitures me terrorisent !

— Bien sûr, je comprends, lui assura-t-il.

Camille tournait la tête dans tous les sens, apeurée à l'idée de replonger dans la circulation parisienne. Richard le remarqua.

— Calme-toi, tu as tout ton temps pour reprendre le volant. Maintenant, tu vas pouvoir te reposer à la maison, reprendre tranquillement tes habitudes. Pour les visites à Vanessa, je t'emmènerai ou Hubert se fera un plaisir de te servir de chauffeur.

Un léger sourire se dessina sur le visage de Camille.

— Ils ont décidé de rester un peu ?

— Oui, une semaine si ça ne te… dérange pas.

— Bien sûr que non ! s'exclama-t-elle. Ils peuvent séjourner à la maison aussi longtemps qu'ils le souhaitent.

Camille, désormais plus calme, paraissait se réhabituer à la densité de la circulation, aux coups de klaxon, aux insultes et aux gestes d'agacement des chauffeurs, toujours prêts à gagner quelques mètres au prix d'une prise de risques inconsidérée.

Voyant sa femme plus sereine, Richard se décida à l'interroger sur les deux appels qui le tourmentaient.

— La secrétaire m'a demandé de payer les suppléments non remboursés par la mutuelle.

— Tout est pris en charge, non ? s'étonna-t-elle.

Richard fut direct et concis.

— Oui, sauf le téléphone ! Tu as émis deux appels de près d'une heure trente chacun vers le même numéro.

Le diaphragme de Camille se bloqua, sa respiration se fit saccadée. Elle devait rapidement trouver une réponse qui satisfasse la curiosité de son mari.

Elle répondit d'abord sous forme de questions, comme pour se laisser un peu plus de temps pour réfléchir.

— Près d'une heure trente, mais c'est impossible !

— Deux fois, insista-t-il.

— Comment ça, deux fois ?

Richard ne lâchait rien.

— Je viens de te le dire, deux appels de plus d'une heure trente vers le même numéro.

Camille tentait de cacher ses craintes. Pour la première fois, elle se trouvait confrontée à ses contradictions, face à celui qu'elle trompait.

Jusqu'à présent, elle avait pu vivre son aventure avec Stephen sans trop se soucier des doutes de Richard. Il lui arrivait quelquefois de croire qu'il s'intéressait si peu à elle qu'elle était libre de ses errances. Mais la situation, tout à coup, se transformait en un boomerang dont elle avait du mal à contrôler la trajectoire et les dégâts que cela ne manquerait pas d'occasionner.

Sur un ton qui n'aurait même pas convaincu un enfant, elle tenta de se justifier.

— C'est Amélie ! Elle est si bavarde. J'avais un message sur mon portable, je l'ai rappelée.

— Bien sûr, Amélie… ironisa Richard.

Devant l'insistance de son mari, Camille devint plus offensive. La meilleure défense n'est-elle pas l'attaque ?

— Eh bien oui, Sabine et Amélie. Avec elles, les discussions sont interminables.

— Les deux soirs ?

— Oui, les deux soirs ! Tu m'agaces avec tes questions. J'ai bien le droit de téléphoner à mes amies, non ?

Ce qu'ignorait Camille, c'est que son mari, en se dirigeant vers le parking de l'hôpital, avait eu le temps de pianoter les dix chiffres du numéro de téléphone dans la barre de recherche Google de son Smartphone et de voir apparaître sur son écran « *Des mots et des maux*, librairie spécialisée dans les livres anciens et étrangers, Stephen Lodgers », suivi de l'adresse qui indiquait une rue du quartier du Marais.

— Tu as appelé chez Amélie ou chez Sabine ? demanda-t-il sur un ton toujours aussi soupçonneux.

Camille répondit au hasard :

— Amélie !

— Très bien, excuse-moi. Tous ces événements m'ont bouleversé. La fatigue me rend un peu parano sans doute.

— Ce n'est rien, fit Camille d'une voix faible.

Richard savait que sa femme lui mentait. Il voulut voir jusqu'où elle pouvait aller pour assumer ses fausses justifications.

— Au fait, ça marche pour Amélie ? Son magasin de fleurs se situe à Montmartre, c'est bien ça ? Elle habite toujours au-dessus de sa boutique ?

Que pouvait répondre Camille ? Elle s'enfonçait dans son mensonge, ou plutôt, elle le confirmait.

— Oui, à Montmartre. Les affaires sont difficiles, mais elle s'accroche.

— C'est ce qu'il faut.

— Quoi donc ?

— S'accrocher !

Si Camille avait encore quelques minces espoirs que Richard se contente de ses confuses explications, lui n'avait plus aucun doute. Amélie l'avait appelé la veille pour prendre des nouvelles de sa femme et elle lui avait confirmé qu'elle ne la dérangerait pas avant son retour à Saint-Rémy.

À partir de cet instant, Camille et Richard demeurèrent silencieux jusqu'à l'arrivée à leur domicile.

Camille était désorientée, confrontée pour la première fois à cette vérité qui lui éclatait au visage. Richard venait de dégoupiller une grenade qui exploserait, c'est certain, mais quand ? Elle n'en avait aucune idée.

Richard, le mari trop lisse, l'amant peu empressé, le père de famille absent, venait de montrer qu'il était aussi un homme amoureux et jaloux. Il n'avait encore aucune preuve de l'infidélité de sa femme, mais ses interrogations étaient suffisamment solides pour qu'il poursuive ses investigations.

À peine Camille était-elle sortie de la voiture que Lucas lui sautait déjà dans les bras.

— Laisse-moi respirer, mon fils ! s'exclama-t-elle en riant, tout en l'embrassant avec force.

Lucas lui palpa les bras, saisit ses mains et les retourna à plusieurs reprises. Il recula et dévisagea sa mère.

— Ça va ? Tu vas bien ? Dis-moi, c'est sûr, tu vas bien ? Et Vanessa, pourquoi elle n'est pas avec toi ? Pourquoi ils la gardent à l'hôpital, ils lui font quoi ? Quand est-ce qu'elle revient ?

Camille interrompit le flot de questions de son fils. Elle posa ses mains sur ses joues et s'accroupit face à lui.

— Lucas, ne t'inquiète pas ! Je vais bien ! La preuve : je suis là, non ?

— Oui, je sais, affirma-t-il sans conviction. Mais… Vanessa, pourquoi elle n'est pas avec toi ?

Mathilde s'approcha tandis qu'Hubert, resté en retrait, discutait avec Richard, occupé à décharger les affaires de sa femme.

— Allez, ne joue pas à l'enfant, et laisse ta maman un peu tranquille ; elle a besoin de se reposer. Nous t'avons déjà expliqué cent fois que Vanessa devait rester quelques jours de plus à l'hôpital, déclara-t-elle d'un ton faussement autoritaire.

Lucas lâcha enfin sa mère et se dirigea vers la maison.

Camille s'écroula dans les bras de Mathilde.

— Ma « petite mère », mon Dieu, ma « petite mère » !

— Voilà que tu crois dans le Tout-Puissant ! Eh bien, dis-moi, tu devrais séjourner plus souvent à l'hôpital !

La tête plongée dans le cou de Mathilde, Camille lâcha une larme. Sa « petite mère » ne disait rien, elle la laissait simplement déverser son trop-plein d'émotions : un mélange de fatigue, de peur en l'avenir, d'inquiétude pour sa fille et de joie de retrouver son chez-elle.

Enfin, elle s'exprima.

— Richard m'a dit que vous restiez quelques jours ?

— Oui, jusqu'au retour de Vanessa, si ça ne te dérange pas, bien sûr !

Camille s'essuya le visage avec le dos de la main, regarda Mathilde et la serra de toutes ses forces dans ses bras.

— Imbécile, va !

— « Mon Dieu », et maintenant « imbécile ». Mais ton vocabulaire a sacrément évolué ! ironisa Mathilde. Allez viens, rentrons. Tu vas t'allonger, tu as besoin de calme et de repos. Hubert nous a préparé un bon petit plat, tu ne peux que reprendre des forces !

Les deux femmes se dirigèrent vers la porte d'entrée, où Camille s'arrêta, soudain prise d'un doute.

— Mais... et mes très chers beaux-parents ? Vos patrons vous ont donné l'autorisation de vous absenter si longtemps des *Vieux Tilleuls* ?

— Eh bien, vois-tu : oui ! Comme quoi, tout le monde peut changer... un peu ! Ils doivent d'ailleurs passer te voir demain, je crois.

— Oh non ! s'exclama Camille en levant les yeux au ciel.

Elles se mirent à rire.

— Ils ont eu peur pour toi et Vanessa, tu sais. Richard aussi. Il est... différent !

Camille parut surprise.

— Comment ça, différent ? Il s'inquiète, voilà tout !

— Non... différent, confirma Mathilde. Je le connais depuis son enfance, et j'ai l'impression de voir une autre personne, maintenant. C'est lui qui a insisté auprès de ses parents pour qu'ils acceptent notre absence de quelques jours au domaine.

— Ah effectivement ! s'étonna Camille, surprise par le côté inhabituel de la situation.

— Les murs ont vibré dans toute la maison hier soir ! Richard leur a tenu tête, il hurlait dans le combiné. Il ne leur a laissé aucune marge de négociation. Il répétait que tu avais besoin de nous, que cela te ferait plaisir que nous soyons présents à tes côtés.

Camille, bouche bée, l'incita d'un signe de tête à poursuivre.

144

— Quarante-cinq ans pour enfin oser, pour la première fois, contredire ses parents ! Il m'a fait penser à son jeune frère Evan, lorsque, à dix-huit ans, il s'accrochait régulièrement avec sa mère.

— Ils n'ont rien dit, aucune protestation ?

— Richard ne leur en a pas laissé le temps ! Ils n'ont pas pu placer un mot. Ils ont juste conclu la discussion par une sorte de boutade : « Eh bien, l'herbe poussera, ce n'est pas si grave ! » Tu vois, les parents Mabrec peuvent à de rares occasions devenir des êtres dociles, s'amusa-t-elle, avant de se reprendre à peine avait-elle fini de prononcer ces mots. Je n'ai pas le droit de dire ça ; ils ont toujours été si bons avec nous... murmura-t-elle.

— Si, tu as le droit...

Camille hésita un instant...

— Quelque chose te tourmente ? demanda Mathilde.

— Tu viens de dire « les parents Mabrec peuvent devenir des êtres dociles »... Par contre, Richard, d'une certaine façon, il l'était, docile... Eh bien, je pense que c'est terminé !

— Que veux-tu dire ?

— Rien d'important ! Allez viens, rentrons ; c'est l'heure de déguster le fameux plat d'Hubert.

Elle entraîna sa « petite mère » à l'intérieur.

Camille prit une bonne douche ; elle désirait retirer cette odeur d'hôpital incrustée dans sa peau. Elle passa un long moment dans la salle de bains tandis qu'au rez-de-chaussée,

Mathilde et Richard préparaient la table pour le déjeuner. Hubert, quant à lui, était bien trop occupé à surveiller « sa » daube pour les aider ne serait-ce qu'une minute.

Lucas ne tarda pas à le lui faire remarquer.

— Hubert, tu fais quoi ?

— Je contrôle la cuisson, c'est à la minute près, tu sais !

— Mouais… à la minute près ! Mais ça fait des heures que ça cuit, et puis ça pue, ton truc ! lança-t-il.

— Comment ça, « ça pue » ?

Lucas regagna le canapé pour finir de composer son équipe de foot virtuelle sur sa console. Il rétorqua avec sa franchise enfantine :

— Ben oui, ça embaume la viande trop cuite mélangée à de la vinasse.

— Tu verras, quand tu seras plus grand, tu apprécieras ! répondit Hubert, sûr de lui. Au lieu de dire des bêtises, va donc prévenir ta mère que nous passons à table dans exactement dix minutes.

Lucas se planta devant Hubert et imita le salut militaire.

— Oui, chef ! Bien, chef ! Dix minutes, parfait, mon colonel !

Hubert lui donna une tape sur les fesses. Lucas, dans un grand éclat de rire, grimpa l'escalier quatre à quatre. Il toqua à la porte de la salle de bains.

— Maman, il y a le colonel et sa viande qui pue qui nous demande d'être au garde-à-vous dans dix minutes.

146

Camille se mit à rire ; elle retrouvait son fils, avec sa joie de vivre et son insouciance.

— Très bien, petit capitaine, va donc aider le colonel. Je finis de me préparer.

Enroulée dans une large serviette, Camille était face au miroir, examinant les marques de fatigue sur son visage, plus prononcées que d'habitude. Machinalement, elle passa son doigt sur chacune de ses rides, comme si elle voulait ralentir ce temps qui s'enfuyait. « Quarante-cinq ans dans quelques mois, ma vieille, pensa-t-elle. Que vas-tu faire des années qui te restent ? »

Elle lissa longuement ses cheveux, qui lui tombaient jusqu'aux épaules. Elle se demanda si elle n'allait pas les faire couper un peu. Amélie lui avait assez répété que les cheveux courts, ça faisait « plus jeune ».

Elle sourit. Amélie avait souvent des bonnes idées, le seul problème, c'est qu'elle se les appliquait à l'extrême. D'ailleurs, sa dernière visite chez le coiffeur remontait à quelques mois et sa chevelure hésitait encore entre le porc-épic au réveil et le chihuahua tout juste tondu.

Camille opta pour une queue-de-cheval ; elle souhaitait éclairer son visage. Elle savait que ça ferait plaisir à Lucas, qui n'arrêtait pas de lui dire : « Maman, ça m'énerve, arrête de mettre tes cheveux derrière les oreilles. Ce ne sont pas des portoirs, ça sert juste à entendre ! »

Elle appliqua un léger fond de teint sur son front et ses joues, un trait fin d'eye-liner afin d'allonger son regard et un rouge à lèvres rose brillant. Elle se dirigea vers son dressing et choisit une robe beige sans manches : elle avait besoin de couleurs claires.

Il ne lui restait que quelques minutes avant que le « petit capitaine » sous les ordres de « colonel Hubert » ne la rappelle à l'ordre.

Elle s'assit sur son lit et téléphona à sa fille. L'appel dura à peine une minute ; Vanessa était en partance pour le scanner afin de contrôler le début de consolidation de sa fracture. Camille l'assura qu'elle serait présente en fin d'après-midi. Puis elle raccrocha. Elle se sentait terriblement coupable.

Si elle n'avait pas autant pensé à Stephen, rien ne serait arrivé. Elle aurait parfaitement contrôlé la voiture.

Elle hésita, mais elle ne put résister, elle rédigea un rapide SMS.

> Je viens de rentrer chez moi, je pense à toi. Je t'appelle dès que je peux. À plus de toi !

La réponse de Stephen fut instantanée.

> Repose-toi ! J'espère que tu vas mieux, tu me manques.

Camille relut le message et posa son Smartphone sur la table de nuit. Elle était attendue pour le déjeuner, et la dégustation de cette fameuse daube ne souffrait pas le moindre retard.

Le repas se déroula dans une atmosphère calme, chacun subissant, à sa manière, le contrecoup de l'accident.

À la grande surprise d'Hubert, Lucas apprécia sa daube. Il répéta une nouvelle fois que ça « puait » vraiment, mais les deux assiettes pleines qu'il ingurgita à une vitesse supersonique trahissaient un jeu bien huilé entre « le colonel » et son « petit capitaine ».

— Eh bien, heureusement que tu n'as pas cessé de critiquer, autrement tu aurais déjà vidé le plat, ironisa Hubert.

Lucas, sauçant un nouveau bout de pain dans son assiette, rétorqua avec un aplomb qui fit éclater de rire l'ensemble de la tablée :

— Bien obligé, il n'y avait rien d'autre à manger !

Richard parla peu, réduisant ses quelques interventions à des banalités : le plaisir de déguster la cuisine d'Hubert, la météo des prochains jours qui s'annonçait maussade et les ouvriers travaillant chez le voisin bien trop bruyants à son goût.

Il évoqua la santé de Vanessa qui l'inquiétait ; il avait peur qu'elle ne retrouve pas l'intégralité de sa mobilité. Camille tenta de le convaincre que leur fille ne présenterait aucune séquelle :

les médecins le leur avaient assuré. Richard répondait à chacune des interventions de sa femme sans jamais affronter son regard.

D'habitude si soucieux à propos du cabinet, il n'évoqua aucune affaire à venir ni en cours. Camille tenta de le questionner sur le dossier Durontin. Sans succès.

Mathilde et Hubert ne firent aucun cas du comportement détaché de Richard. Pour eux, il était inquiet et fatigué, voilà tout.

Camille, elle, savait qu'un autre souci tourmentait son mari : ses longs appels tard le soir, à l'hôpital, prétendument destinés à Amélie. Elle ignorait que Richard avait découvert qu'il s'agissait du numéro de *Des mots et des maux*, et qu'il avait pris la décision de se renseigner plus en détail sur cette librairie en faisant appel à un ami détective.

Tout à coup, sans prévenir, Camille s'effondra littéralement sur sa chaise. Assis à côté d'elle, Hubert eut à peine le temps de la rattraper afin qu'elle ne se blesse pas en tombant.

— Allongez-moi, allongez-moi, je vais m'évanouir, balbutia-t-elle.

Richard se leva et aida Hubert à soutenir Camille et à l'emmener jusqu'au canapé. Mathilde se précipita et déposa un coussin sous sa tête. Son visage était livide, on ne remarquait que les traces de son maquillage, comme si elles se dessinaient sur un papier parfaitement blanc.

— Vite, un médecin ! Où est mon portable ? s'écria Richard, affolé.

Mathilde demanda à Hubert d'aller lui chercher un gant imbibé d'eau froide.

— Elle n'a pas besoin de médecin, attends donc un peu, dit-elle à Richard.

Elle posa le gant frais sur le front de Camille, qui reprit peu à peu quelques couleurs.

— Ça va, maman ? s'enquit Lucas.

Sa mère lui sourit tout en gardant les yeux fermés.

— Allons, les trois hommes, au lieu de la priver d'air et de vous agglutiner autour du canapé, commencez donc à desservir la table ! ordonna Mathilde, qui sentait que Camille avait besoin de respirer.

Ils hésitèrent.

— Allez hop, au boulot, j'ai dit ! insista-t-elle, accompagnant son propos d'un geste ferme du bras en direction de la cuisine.

Richard et Hubert s'exécutèrent tout en jetant un regard inquiet vers Camille, qui n'avait toujours rien dit. Lucas, dans la confusion de l'instant, en profita pour se réinstaller devant sa console de jeux.

Mathilde s'approcha et chuchota à l'oreille de Camille :

— Tu es épuisée, ma petite, je vais t'aider à monter dans ta chambre et tu vas faire une bonne sieste. Nous viendrons te réveiller vers 17 heures pour aller rendre visite à Vanessa.

Camille ouvrit à peine les yeux et prononça quelques mots avec une infinie tendresse.

— Ma « petite mère », que ferais-je sans toi ?

Mathilde, la main toujours posée sur le front de sa « petite », haussa les épaules.

— Eh bien, je pense que tu ferais aussi bien, sinon mieux. Tu as repris des couleurs. Assieds-toi quelques instants avant de te lever.

Camille s'exécuta.

— Ça va ? insista Mathilde.

— Oui.

— Allez hop, au lit alors !

Mathilde l'agrippa par la taille et elles commençaient à monter les premières marches quand Hubert voulut les aider.

— Tout va très bien, Hubert, le rassura Mathilde.

Richard regardait la scène depuis la cuisine, tel un second rôle oublié par des acteurs bien trop complices.

Camille dormit près de deux heures. Son malaise ne semblait plus être qu'un mauvais souvenir. Ils partirent tous les cinq pour l'hôpital et passèrent presque deux heures en compagnie de Vanessa.

Le chirurgien fit le point avec Camille et Richard, les assurant que leur fille n'aurait aucune séquelle, mais que sa rééducation serait longue et difficile.

— Tu vois, Richard, dit Camille, tu ne dois pas t'inquiéter, tout ira bien.

Il murmura d'un air pensif :

— Tout ira bien... Enfin, on verra...

8

Malgré le doute

Le doute, cet invisible ennemi qui s'immisce dans chacune de nos pensées. Ce sentiment qui, parfois, nous envahit et remet en cause nos convictions et nos croyances.

Il faut de la force pour continuer de croire malgré les questions et les hésitations. Il faut aussi du courage pour laisser s'envoler nos certitudes.

— Tu crois que ça te fait du bien ? pesta Mathilde en finissant son thé.

Camille venait à peine de terminer son petit déjeuner qu'elle s'intoxiquait déjà de vapeurs de nicotine et de goudron. Elle ne répondit pas et préféra se préparer une nouvelle tasse de café corsé.

— En plus, tu n'as rien mangé ! Deux expressos, une cigarette et rien de solide, tu veux quoi ? Retourner à l'hôpital ?

— Oui maman, oui ma « petite mère » ! ironisa Camille en s'asseyant sur une des chaises de la terrasse.

Son café avalé, elle déposa sa tasse dans le lave-vaisselle et regagna le salon. Hubert, resté silencieux jusque-là, s'exprima alors de façon inhabituellement directive.

— Mathilde a raison, tu sais ! Tu devrais te forcer un peu. Tu as vu comme tu as maigri ? Tu as besoin de te remplumer. Et ce satané tabac, tu l'arrêtes quand ?

Adoptant le même ton qu'avec Mathilde, Camille répondit tout en allumant une autre cigarette :

— Oui, mon « petit père » !

Hubert s'agaça.

— Écoute, il faut que tu réagisses ! Tes enfants ont besoin de toi. Ta fille est encore à l'hôpital, Lucas ne montre rien, mais il est très perturbé. Et ton mari, il s'occupe de tout, tu y as pensé ?

Elle se leva de son fauteuil et s'approcha d'Hubert. Calée contre le dossier de sa chaise, elle l'enlaça de ses deux bras et posa son menton sur sa tête.

— Ça fait beaucoup de monde à s'occuper… beaucoup de monde, répéta-t-elle, pensant qu'Hubert allait comprendre.

— Oui, mais…

— Beaucoup de monde… insista-t-elle.

— Camille, que veux-tu dire ? s'énerva Hubert.

— Rien, je ne veux rien dire ! Bon allez, je vais me préparer ; nous devons être à l'hôpital à 10 heures.

Elle tira rapidement deux dernières bouffées avant d'écraser sa cigarette. Elle monta l'escalier.

— Tu n'as pas oublié ? À midi ! lui lança Mathilde.

Déjà au premier étage, Camille se retourna et répondit, sarcastique :

— Oh non, je n'ai pas oublié ! Beau-papa et belle-maman qui rentrent pour nous voir. Quel exploit !

Puis elle disparut dans le couloir et se dirigea vers la salle de bains.

Mathilde et Hubert étaient soucieux. Ils restèrent quelques instants à se regarder. Hubert exprima son inquiétude.

— Elle ne va vraiment pas bien, la petite. Cet accident, ça l'a drôlement remuée.

Mathilde confirma son propos.

— Oui, elle n'est pas en forme, et ça me fait peur !

Vanessa avait parfaitement récupéré de l'intervention et son état ne nécessitait plus qu'une surveillance classique. Elle pouvait poser sa jambe plâtrée sur le lit ; celle-ci n'était plus suspendue ni bloquée par des câbles et des poulies qui l'empêchaient de bouger le bas du corps.

Lorsqu'ils entrèrent dans la chambre, Camille, Mathilde et Hubert furent accueillis par un sourire radieux.

— Trop cool, maman ! Tu as vu, je peux enfin bouger. Le médecin pense que je pourrai sortir plus tôt.

— C'est super ! s'écria Camille, heureusement surprise de retrouver chez sa fille une joie de vivre qui contrastait avec l'ambiance bien trop plombée de la veille.

Machinalement, elle jeta un regard vers l'armoire et découvrit le sac de Vanessa.

— On me l'a rendu hier. Il est tout déchiré, mais l'intérieur est intact... Les cours, dit sa fille d'un ton dépité.

— Ne t'inquiète pas, tu peux les laisser tranquilles quelques semaines. Pour les épreuves du bac de français, nous allons t'inscrire à la session de rattrapage du mois de septembre.

— Yes, c'est bon, ça !

— Ne te réjouis pas trop vite, ma fille ; l'été va être studieux. D'abord du repos, puis la rééducation, puis... les révisions.

— J'aurai les sujets de juin, ce sera plus facile.

— Peut-être, mais... ah d'accord ! Je comprends mieux ce large sourire.

Camille venait d'apercevoir le portable de Vanessa coincé entre les draps juste à portée de sa main.

— Alors là, nous sommes sauvés... enfin surtout toi, fit Mathilde, rassurée de voir la jeune fille retrouver ses repères. Et il est encore... comment dire... entier ?

— Oui ! Les infirmières m'ont prêté leur chargeur.

Camille, qui jusqu'ici faisait une guerre régulière pour que sa fille lâche quelques heures par jour son Smartphone, était satisfaite, aujourd'hui, de la voir reprendre ses habitudes.

— Des copines… voudraient me rendre visite, tu crois que je peux leur dire de venir ?

— Bien sûr ! Si elles n'envahissent pas les couloirs. Ça te fera du bien. Tu pourrais aussi leur proposer de passer à la maison, tu trouveras le temps moins long. Mais pas une dizaine, d'accord ?

Rassurée par la réponse de sa mère, Vanessa répondit, emportée par son élan :

— Il y aura juste Melissa, Caroline, François et peut-être Amalia.

Camille sourit et fixa sa fille. Elle se retourna vers sa « petite mère », lui adressant un clin d'œil complice.

— Quoi, qu'est-ce qu'il y a ? Qu'est-ce que vous avez toutes les deux ?

— Rien, ma fille… rien. Juste que je ne savais pas que tu avais une copine qui se prénommait… François.

— Ah, j'ai dit… François ?

— Oui.

— C'est le copain… de… Melissa. Et puis, vous m'énervez, vous êtes nulles !

— Pas de souci, ils peuvent venir te voir.

Le chirurgien confirma la sortie anticipée de Vanessa ; sa récupération se passait plus rapidement que prévu. Mathilde et Hubert étaient déjà repartis en direction de

Saint-Rémy afin de préparer le repas et d'accueillir Maryse et Maxime, dont l'arrivée était prévue vers 12 h 30.

Richard récupéra Lucas au collège. C'étaient les derniers jours de classe, son père lui annonça qu'il n'y retournerait pas dans l'après-midi. Ses grands-parents étaient là et ils se devaient de leur faire plaisir. Lucas aurait préféré rester avec ses copains, mais son père en avait décidé autrement.

Avant de rentrer à la maison, le père et le fils firent une halte rapide à l'hôpital afin d'embrasser Vanessa et de récupérer Camille.

Le trajet se déroula dans un silence angoissant. Camille fit part à Richard de la sortie anticipée de leur fille. Il acquiesça d'un simple signe de tête et monta le son de l'autoradio. Elle comprit qu'une fois de plus, son mari n'avait pas envie de parler. Elle ne fit aucun effort pour forcer une conversation qui aurait sonné faux.

Lorsqu'ils arrivèrent devant leur domicile, la voiture de Maryse et Maxime était là. Camille, qui s'était assoupie, fut réveillée par les grognements de son fils, qui n'avait qu'une envie : retourner au collège pour retrouver ses copains.

Le repas puis l'après-midi se déroulèrent exactement comme l'avait imaginé Camille :

l'ambiance était pesante. Maryse, comme à son habitude, monopolisa une grande partie de la conversation. Elle commenta l'accident et l'opération de sa petite-fille avec une assurance que même les policiers, les pompiers et les médecins réunis n'avaient jamais eue.

Pour elle, c'était évident, l'accident ne pouvait être dû qu'à un excès de fatigue de Camille. Elle interpella son fils sur le fait qu'il devrait confier moins de dossiers à sa femme. Richard eut beau lui expliquer que chacun gérait ses affaires en totale indépendance et qu'il n'avait pas à intervenir dans l'emploi du temps professionnel de sa femme, rien n'y fit : la fatigue était responsable de l'accident et, avec un peu de repos, cela ne serait plus qu'un mauvais souvenir !

Camille aurait pu apprécier les bonnes intentions de sa belle-mère. Mais elle la connaissait par cœur et elle savait que ses paroles n'étaient motivées que par son souhait de voir ses belles-filles s'occuper un peu plus de leur famille, comme elle-même l'avait fait, et non pas s'investir dans leur métier.

Maryse n'avait pas eu de chance : ses trois belles-filles avaient chacune une occupation professionnelle et n'avaient aucune intention de la quitter. Même Clémentine, sa « chouchoute », la femme d'Eymeric – son fils aîné –, s'épanouissait dans la gestion de ses boutiques Prada.

En ce qui concernait la convalescence de Vanessa, là aussi, Maryse avait, bien entendu, une réponse à toutes les questions et interrogations. Vu l'âge de sa petite-fille, elle ne s'étonnait pas d'une intervention parfaitement réussie et l'opération sous anesthésie générale lui paraissait grotesque, la pose d'un plâtre aurait largement suffi. Quant à la rééducation, bien évidemment, elle ne durerait pas plusieurs mois, mais deux à trois semaines après le retrait du plâtre, tout au plus.

Chacun, autour de la table, écoutait le monologue de Maryse et la longue litanie de ses certitudes. Ils la connaissaient trop bien et savaient qu'émettre une simple réserve sur une de ses affirmations engendrerait au mieux une perte de temps et au pire un déferlement d'agressivité. Alors, tout le monde se taisait à part Lucas qui, avec sa logique d'enfant, s'étonna des propos de sa grand-mère et s'autorisa une remarque.

— Mamie, tu sais, Vanessa va avoir des béquilles au moins jusqu'à la rentrée. Elle n'est pas près de marcher normalement, c'est le docteur qui l'a dit à papa et maman !

La grand-mère se redressa sur sa chaise, vexée de voir son petit-fils la contrecarrer. Le cou raide, elle répondit avec froideur en s'adressant à Richard :

— Tu diras à ton fils que ce sont des sujets d'adultes !

Le nez plongé dans son assiette, Richard sentit sa main se crisper sur sa cuillère à dessert. Les gencives serrées, il leva les yeux vers sa mère. Il la fixa un instant, elle soutint son regard. Il aurait eu envie de lui dire tellement de choses. Il sentit une bouffée de haine monter en lui, un flot de paroles prêt à surgir.

Camille observait son mari avec beaucoup d'attention.

Allait-il tenir tête à sa mère ?

Au cours de toutes ces années, lors des innombrables réunions de famille aux *Vieux Tilleuls*, Camille aurait tant souhaité que Richard oppose à sa mère un tel regard ! Elle aurait apprécié qu'enfin il s'exprime, qu'enfin il se libère de cette emprise qui n'avait jamais pu lui permettre de s'épanouir totalement dans sa vie d'homme.

Mais aujourd'hui, Camille n'espérait qu'une chose : que Richard se calme et n'ajoute pas une explication tendue à une situation difficile à vivre, qui risquerait de déraper vers un règlement de comptes familial.

Elle posa sa main sur le genou de son mari. Cela le surprit et il quitta sa mère des yeux pour se tourner vers sa femme. Son visage s'apaisa, il comprit que ce n'était pas le moment et n'eut pour seule réponse qu'un bien timide :

— Maman, sa convalescence sera longue.

Camille se permit tout de même une remarque qui lui brûlait les lèvres. Une façon de compenser la frustration de Richard. Elle savait que sa belle-mère ne lui répondrait pas violemment. Les années avaient eu au moins le mérite d'apprendre à Maryse que sa belle-fille trouvait toujours les mots pour contrer ses affirmations.

— Vous savez, vous pouvez parler directement à Lucas, sans passer par l'intermédiaire de votre fils. Il entend très bien... et en ce qui concerne les béquilles pour sa sœur, il a très bien compris les propos du médecin !

De dépit, Maryse massacra le reste de gâteau dans son assiette. Mais elle ne répondit pas et s'adressa à Maxime qui, une fois de plus, resta parfaitement neutre – et absent de la conversation. Il avait abdiqué depuis bien longtemps.

— Bon, tu vas te dépêcher de finir ton café ! Nous devons passer voir Vanessa à l'hôpital. Avec cette circulation, à quelle heure allons-nous rentrer aux *Vieux Tilleuls* ? pesta-t-elle, les joues rougies par l'énervement.

— Très bien, comme tu veux. Laisse-moi cinq minutes et nous y allons. Je termine avec Hubert. Il me donne quelques consignes pour le jardin.

Maryse ne put s'empêcher une dernière remarque qui n'eut pour seul effet que de faire largement sourire Mathilde et Hubert.

— Ah oui, c'est vrai, nous devons faire le travail du personnel. Mais... c'est ainsi... nous avons donné notre autorisation devant l'insistance de notre fils ! Et une parole est une parole dans la famille Mabrec. N'est-ce pas, Richard ?

— Oui... oui, répondit-il, l'air détaché.

Maryse venait de se lever, elle attrapa son sac et sa veste ; elle attendait son mari, qui fit rapidement le tour de la table afin de saluer tout le monde. Maryse se contenta d'un geste de la main. Richard les raccompagna jusqu'à leur voiture, tandis que dans la maison un sentiment de légèreté prenait rapidement la place de la lourdeur de l'ambiance du repas.

— Elle est chiante, elle est pas cool, mamie !

— Lucas, allons ! s'autorisa Mathilde.

Camille saisit le bras de sa « petite mère » et lui fit signe que ce n'était pas grave. Elles commencèrent à desservir.

Tout en glissant les assiettes dans les compartiments du lave-vaisselle, Mathilde interrogea Camille.

— Je ne voudrais pas être indiscrète, mais ta maman… ?

Occupée à essuyer la table, Camille leva la tête, une mèche de cheveux tomba devant ses yeux. Elle répondit sans hésitation :

— Ma maman, mais c'est toi !

Mathilde grimaça.

— Camille, on n'a qu'une mère et… ce n'est pas moi.

— C'est dommage, alors moi, j'en ai deux ! précisa-t-elle. Celle qui m'a mise au monde et toi !

— Sois sérieuse ! Tu as eu des nouvelles ?

— Mais je suis très sérieuse. Donc ma mère, celle qui m'a mise au monde, m'a téléphoné juste avant ma sortie de l'hôpital.

— Et… alors… ?

— Elle m'a expliqué qu'Hector n'était pas en forme et qu'elle ne pourrait donc pas venir me voir. Plus tard, peut-être…

— Hector ? Je ne savais pas que ta maman vivait avec un compagnon.

Camille éclata de rire.

— Qu'est-ce que j'ai dit ? s'étonna Mathilde.

— Hector… un compagnon.

— Eh bien, tu vas enfin me dire ce qu'il y a de si drôle ?

— Hector, c'est un perroquet !

Mathilde s'appuya contre le lave-vaisselle qu'elle venait de mettre en marche. Elle ne savait pas si Camille s'amusait ou si, malheureusement, elle était sérieuse. Elle préféra continuer sur le ton de la plaisanterie.

— Effectivement ma petite, les médecins ont raison. L'accident te fait dire n'importe quoi.

Camille, brusquement, retrouva son sérieux.

— L'accident n'a pas été assez violent pour que j'invente de telles âneries. C'est la stricte vérité !

— Écoute, tu vas mieux. Tu es entourée, c'est le principal. Allez, dépêche-toi un peu, ta fille nous attend !

— Très bien… maman, répondit-elle d'un ton malicieux.

— Tu m'agaces ! Je ne suis pas…

Camille ne l'écoutait plus ; elle était déjà dehors, impatiente de rendre visite à Vanessa.

La pendule du salon indiquait 22 heures lorsque Camille sortit pour fumer une cigarette. Lucas était dans sa chambre devant l'un de ses nombreux jeux vidéo. Richard, installé dans son bureau à l'étage, relisait le dossier Durontin ; il devait plaider le lendemain dès le début des audiences. Mathilde et Hubert se passionnaient devant l'une de leurs séries télévisées préférées, commentant les agissements de chaque protagoniste.

Elle alluma sa cigarette et descendit quelques marches pour accéder au jardin situé en contrebas de la terrasse. Elle s'assit sur un banc de pierre. Elle triturait son portable ; elle avait envie d'appeler Stephen.

Elle fit défiler ses contacts jusqu'à *Des mots et des maux*, posa son index sur l'écran et appuya sur le logo « appeler ». Trois sonneries retentirent, Stephen décrocha.

— Camille…

— Ça va ?

— Oui, et toi ? Tu es rentrée ? demanda-t-il.

Camille se sentait bien, la voix de Stephen l'apaisait. Elle appuya sa tête contre le rebord du banc et continua la conversation, le regard vers les étoiles.

— Oui, je suis à Saint-Rémy. Ça va… mieux, je suis fatiguée, je me repose ; je n'ai que ça à faire ! Et toi, que fais-tu ? Raconte-moi.

— J'ai passé la soirée à jouer à l'apprenti barman chez Gavin. Il avait organisé sa première expo ce soir. J'ai proposé de l'aider ; son budget était limité.

— J'aurais aimé être là.

Un silence.

— J'aurais aimé que tu sois là !

— Je peux te demander quelque chose ?

— Bien sûr, dit-il sans hésitation.

— Va t'installer sur le petit banc de bois dans la cour et regarde le ciel.

— O.K., j'y vais.

Elle entendit son pas, la porte de *Des mots et des maux* grincer, puis de nouveau son pas, plus lent, sur les pavés.

— Voilà, fit-il. Je vois des tas d'étoiles.

— Je suis dans le jardin, des centaines qui scintillent. J'ai un peu l'impression d'être à tes côtés.

— Tu te rappelles notre pari de les compter ?

— Oui, très bien. Tu avais dessiné avec ton doigt un triangle entre la pointe du cap Ferret, le banc d'Arguin et les premières lumières du port d'Arcachon. Nous n'y sommes jamais arrivés.

— Toi, tu n'y es jamais arrivée ! précisa Stephen en plaisantant.

— On était jeunes...

— Nous avions seize ans !

— Pour moi, c'était hier, Camille !

Elle hésita et prit le temps d'allumer une autre cigarette.

— Oui... c'était hier. C'est peut-être ça le problème. Hier, c'était facile.

Camille entendit le coulissement de la baie vitrée. Mathilde lui indiquait qu'ils allaient se coucher et que Lucas dormait déjà. Elle lui demanda si tout allait bien ; cela faisait un moment qu'elle était dehors. La main posée sur ses lèvres, Camille lui envoya un baiser et lui fit signe qu'elle n'allait pas tarder à rentrer. Mathilde lui conseilla de ne pas veiller trop tard. La lumière du salon s'éteignit. Toutes les lumières étaient éteintes, maintenant. Richard devait avoir fini de travailler sur son dossier, et avait sans doute préféré se coucher relativement tôt ; sa journée de plaidoirie allait être intense.

— Excuse-moi, tout le monde se couche ici.

— Et toi, tu n'es pas fatiguée ?

— Si, je suis épuisée et... tourmentée, balbutia-t-elle.

— Je sais, tu me l'as déjà dit.

— Je vais avoir du temps pour me reposer et réfléchir. Tout est si difficile !

— Tu m'inquiètes, Camille.

— ... Je dois aller dormir, je vais te laisser.

— Prends tout le temps dont tu as besoin... Je t'attendrai...

— Je sais.

— Je vais en profiter pour aller passer quelques jours avec Kayla. Elle a quitté Londres, elle a désormais installé son atelier à la maison du Moulleau. Je vais l'aider les soirs d'exposition sur les ports de la région.

— Tu as de la chance !

— Pourquoi dis-tu cela ?

— Tu vas passer du temps avec ta fille. C'est bien, vous êtes proches, et puis Arcachon...

— Arcachon sans toi...

— Stephen...

Elle hésita et ne poursuivit pas.

— Oui ?

— Non, rien, je dois y aller. Il est tard.

— Je t'embrasse. Repose-toi.

— Moi aussi, je t'embrasse tendrement, Stephen. Profite d'Arcachon... Tu me raconteras.

— Bien sûr.

Un silence, et il raccrocha.

Camille tira deux dernières bouffées sur sa cigarette avant de l'écraser à ses pieds dans l'herbe déjà humide de la première rosée nocturne. Puis elle éteignit son portable et monta se coucher.

Elle pensait que Richard dormait déjà. Lorsqu'elle se glissa sous les draps, elle le sentit se tourner vers elle. La chambre était plongée dans une profonde obscurité. Camille n'entendit que sa voix monocorde, presque angoissante.

— Tu te couches bien tard...

Elle ne se retourna pas.

— Je suis sortie... fumer une cigarette, j'ai reçu un appel de...

Richard ne la laissa pas terminer sa phrase.

— D'Amélie, bien sûr !

Le mensonge reprit, Camille dans un soupir coupable affirma :

— Oui.

D'un ton ironique, Richard conclut :

— Décidément, qu'est-ce que tu peux discuter avec Amélie ! C'est normal, les amies sont là pour ça.

Le sommeil fut long à venir pour chacun d'eux. Camille, perdue entre le manque, la culpabilité et les doutes. Richard, interrogatif face à sa déception. Il avait longuement hésité, mais il était désormais prêt à franchir le pas, il devait s'assurer de ce qu'il redoutait : la trahison de sa femme !

— Eh ben, ma vieille, tu n'es pas près de gambader ! s'amusa Lucas lorsqu'il vit sa sœur descendre du véhicule médicalisé.

Elle était installée dans un fauteuil roulant, la jambe gauche positionnée à l'horizontale.

— J'adore tes mots gentils, mon frère, tu ne changeras donc jamais, soupira-t-elle, dépitée.

— Mais si, je répondrai à ton téléphone. Je vais te servir d'assistant.

— Jamais de la vie ! Tu touches à mon téléphone et je te massacre.

Camille intervint.

— Oh, oh, oh, on se calme ! Vanessa rentre à la maison, nous devons tous nous en réjouir. Il faudra l'aider, car elle doit garder son plâtre de longues semaines. Nous allons t'installer au rez-de-chaussée, dans la chambre d'amis. Tu auras une salle de bains rien que pour toi.

Vanessa supplia :

— Oh non, maman ! Je veux rester à l'étage. J'y ai toutes mes affaires et mes habitudes.

Camille raccompagna les ambulanciers et les remercia. Mathilde s'occupa du sac de Vanessa et le déposa dans sa nouvelle chambre tandis qu'Hubert tentait avec beaucoup d'effort de maîtriser, avec l'aide de Lucas, le maniement de la manette de la console pour jouer à FIFA 2016.

Camille, pour la première fois, prit entre ses mains les poignées du fauteuil roulant. Elle eut un pincement au cœur lorsqu'elle aperçut la jambe de Vanessa plâtrée de l'aine jusqu'à la cheville. À cet instant, elle prit réellement conscience de la difficulté d'organisation que cela allait représenter, et surtout de l'inconfort que sa fille allait devoir supporter.

Elle poussa le fauteuil jusqu'à l'entrée de la chambre d'amis.

— Waouh ! s'écria Vanessa. On dirait un copier-coller de ma chambre !

— C'est ton père qui a eu l'idée.

— C'est cool, vous avez tout déménagé.

— Tu peux remercier Hubert, Mathilde, ton frère et éventuellement ta mère… un sacré boulot, ma fille !

— Merci. Mais Lucas, qu'est-ce qu'il a fait ? Il n'a pas…

Tout en continuant de tenter de convertir Hubert aux matchs de foot virtuels, Lucas taquina sa sœur.

— Si, si, j'ai fouillé tous tes tiroirs.

— Je vais te massacrer, lui répéta-t-elle.

Il éclata de rire.

— Lève-toi et marche, ma sœur, n'hésite pas.

— Maman, il est chiant !

Camille posa sa main sur l'épaule de sa fille et la rassura.

— Ne t'inquiète pas. Les tiroirs fermés à clef n'ont pas été ouverts. Hubert les a descendus tels quels. D'ailleurs, on ne sait pas ce qu'il y a dedans... mais ils sont sacrément lourds.

— Tous mes secrets ! affirma la jeune fille.

Mathilde ne put se retenir.

— Eh bien, à mon âge, il te faudra un camion entier pour déplacer tes secrets ! Garde-les donc dans tes souvenirs, ce sera mieux, n'est-ce pas ? demanda-t-elle tout en se retournant vers Camille.

— Oui... enfin... oui !

Camille préféra ne pas en dire plus.

— Allez, on entre, voyons un peu comment tu peux bouger dans ton nouvel espace, proposa-t-elle à Vanessa.

Lucas lâcha enfin sa console, au grand soulagement d'Hubert, qui n'en pouvait plus d'essayer de tacler Messi ou Ronaldo et de dribbler les rugueux défenseurs italiens. Lucas se dirigea vers sa sœur et posa la main sur son fauteuil.

— Tu as mal ? s'enquit-il.

— Les premiers jours oui, j'ai eu mal. Mais maintenant ça va. Avec le plâtre plus rien ne bouge, alors c'est supportable. Et puis il y a les cachets pour me calmer si c'est trop doulou-reux.

Lucas voulut toucher la jambe de sa sœur, mais sa mère le stoppa net dans son élan.

— Fais attention ; tu peux lui faire mal !

— Laisse-le faire, maman.

Vanessa saisit la main de son frère et la posa délicatement sur son plâtre. Elle la fit glisser jusqu'au genou ; elle ne pouvait pas aller plus loin.

— Je peux ? interrogea-t-il.

Vanessa le lâcha et le laissa descendre jusqu'à sa cheville. Ses gestes étaient doux et attentionnés. Il l'effleurait à peine, comme s'il caressait un animal blessé.

Camille et Mathilde observaient la scène. C'était touchant de voir un garçon de dix ans exprimer, à sa façon, la tendresse qu'il ressentait pour sa sœur.

— Pourquoi ils t'ont laissé les doigts de pied à l'air libre ?

Vanessa hésita.

— Eh bien, je ne sais pas, il n'était pas nécessaire de les plâtrer, je suppose.

Lucas reprit son ton moqueur, mais ses gestes étaient toujours aussi attentionnés.

— Eh si je te faisais des chatouilles ?

— Je sais que tu ne le feras pas !

Lucas, qui tournait le dos à sa sœur, ne bougeait plus. Brusquement, ses épaules furent prises de soubresauts comme s'il se contenait pour ne pas fondre en larmes.

Camille voulut le réconforter. Vanessa l'empêcha d'avancer.

— Viens là, petit frère, que je te serre fort ! Fais attention de ne pas démonter le fauteuil.

Lucas se retourna et baissa la tête ; il ne voulait pas que sa mère le voie ainsi. Il se précipita dans les bras de sa sœur, le front collé contre sa poitrine. Vanessa lui caressa la nuque ; il pleurait. Ses mots mêlés de larmes étaient presque incompréhensibles.

— J'ai eu peur, j'ai eu peur ! répéta-t-il.

— Peur de quoi ? Regarde, tu viens de constater que je suis encore entière, non ?

Il n'hésita pas et avoua :

— J'ai eu peur que tu meures !

Depuis l'accident, Camille n'arrivait pas à chasser de son esprit l'idée que, à cause de sa négligence, elle aurait pu tuer sa fille. Les voir ainsi unis dans cet amour sincère qu'ils se témoignaient la bouleversa. Elle ne put s'empêcher de penser à ce qu'il adviendrait si elle allait vivre avec Stephen : que deviendraient Vanessa et Lucas ? Ils ne seraient plus à ses côtés chaque jour. Comment réagiraient-ils en apprenant que leur mère avait décidé de vivre une autre vie ? Stephen saurait-il leur réserver assez de place ?

Camille s'approcha et serra ses enfants dans ses bras. Ils restèrent longuement enlacés. Lorsque leur étreinte se relâcha, leur mère les embrassa, puis chacun alla se coucher. Elle resta seule dans le salon, perdue dans ses doutes et ses pensées. Elle aussi se mit à pleurer.

Richard, qui venait tout juste de sortir de la salle de bains, entendit les sanglots de sa femme. Il descendit la rejoindre. Il s'approcha et posa une main sur son épaule, puis sur son cou avant de l'inviter à se lever.

— Allez, viens te reposer, dit-il d'une voix douce.

Camille essuya ses pleurs, lui sourit et se leva du canapé. Richard la saisit par la taille, ils montèrent dans leur chambre.

Le lendemain matin Mathilde et Hubert rentrèrent aux *Vieux Tilleuls* ; le travail et les ordres de Maryse les attendaient. Lucas, déjà en vacances, en profita pour partir avec eux passer quelques jours à bricoler et remuer la terre avec Hubert. Richard et Camille pensaient que c'était sans doute mieux qu'il s'éloigne de l'ambiance pesante de la maison de Saint-Rémy le temps que ce trop-plein d'émotions s'apaise.

— Maman, je n'ai pas envie de partir, je veux rester avec Vanessa.

Son père intervint.

— Nous te rejoindrons dans à peine deux semaines, le week-end avant le 14 Juillet. Et puis tu as ton téléphone, tu appelles quand tu veux.

Sans grande conviction, Lucas acquiesça d'un signe de tête.

Vanessa, d'une formule magique, acheva de convaincre son frère.

— N'oublie pas ton premier et superbe Smartphone. Je répondrai à tous tes SMS.

— Yes !

— Enfin, si ce n'est pas juste pour me demander l'heure.

— Pff, n'importe quoi !

La voiture était prête, Hubert venait de mettre les valises dans le coffre.

— Allez hop, tout le monde à bord, lança-t-il.

Vanessa interpella Lucas.

— Dis donc, mon frère, viens me faire la bise ! Moi, ça va être un peu compliqué.

— Tu me jures pour les SMS ?

— Oui, je te l'ai dit !

— Sauf si tu es en grande discussion avec François.

Vanessa s'agaça.

— Comment tu le sais ?

— Ben, c'est pas compliqué. Chaque fois que ton téléphone vibre, « François » clignote sur l'écran ! Et depuis hier, il ne fait que vibrer.

— Tu m'énerves ! Allez file !

La voiture disparut au bout de l'allée.

9

Le manque

On dit du manque qu'il s'estompe avec le temps, les jours qui défilent et les années qui passent.

On se rassure comme on peut, on se persuade que demain ce sera moins fort, moins présent, plus flou.

Alors on vit, on comble le manque comme on peut, on fait semblant, on triche.

Jusqu'au jour où l'on s'habitue à l'absence, qui devient la plus fidèle des présences.

Sac à dos sur l'épaule, Stephen frappa à la porte de la boutique. Sans attendre de réponse, il entra et entendit Kayla qui, croyant avoir affaire à des touristes à la recherche d'informations sur ses toiles exposées à l'extérieur, lança :

— Désolée, j'arrive !

De sa voix forte et chaleureuse, Stephen l'interpella.

— J'espère bien !

— Yes, daddy, tu es là !

Telle une petite fille, elle sauta dans les bras de son père.

— Trop contente ! Mais je devais te récupérer au train de 18 h 20 et il est à peine 14 heures, lui fit-elle remarquer.

— Eh oui, ton vieux père avait envie de te voir quelques heures plus tôt.

Stephen saisit les mains de sa fille et écarta ses bras, elle recula de deux pas.

— Laisse-moi regarder comme tu es belle, mon artiste préférée.

Kayla rougit et baissa les yeux.

— Oh oui, surtout en ce moment ! Je travaille sur de nouvelles toiles. Regarde ma salopette en jean, parsemée de taches de peinture. Je crois même que mon ruban dans les cheveux doit être coloré en bleu ciel, non ?

Stephen acquiesça dans un éclat de rire.

— Tout ça est exact, une vraie écolière de maternelle qui n'arrive pas à tenir son pinceau ! Mais c'est comme ça que tu es heureuse.

— Papa, c'est super que tu sois là ! Mais tes librairies ?

— Eh bien quoi, mes librairies ? Alan à Paris et Mme Aldwin à Londres se débrouilleront seuls pendant quelques jours. Je leur fais une entière confiance.

— Toi qui répètes si souvent qu'ils ne peuvent prendre aucune initiative sans toi, s'étonna Kayla.

— Eh bien, c'est le moment ! Et puis... j'avais... envie... besoin... de prendre l'air, dit-il d'un ton mélancolique qui n'échappa pas à sa fille.

L'euphorie des retrouvailles passée, Kayla remarqua les traits tirés de son père.

— Tu as l'air fatigué. Ça va ? s'enquit-elle.

— Le voyage, c'est long.

Elle s'étonna et répondit d'un ton ironique :

— Depuis quand le TGV climatisé te fatigue ? Je suis sûre que tu as dû dormir les trois quarts du trajet !

Stephen changea de conversation.

— Bon alors, cet atelier, tu as terminé l'aménagement ? Il ne restait pas grand-chose à faire ; tu m'avais épuisé avec les travaux.

Kayla, après ses études de peinture, avait installé son atelier et sa galerie près de *Just a few words*, la librairie londonienne de son père. Elle vivait alors avec George, un sculpteur de dix ans son aîné. Mais la vie des deux artistes se compliqua rapidement et l'entente sans nuages du début de leur relation ne tarda pas à se dégrader jusqu'à une séparation difficile, car seule Kayla l'avait souhaitée. George, lui, ne voulait pas qu'ils se séparent et revenait régulièrement à la charge avec insistance et parfois agressivité. Elle préféra changer d'air et quitter Londres pour tenter une nouvelle aventure à Arcachon. Elle demanda à son père et à ses grands-parents si elle pouvait s'installer dans la maison du Moulleau pour y aménager son atelier et une boutique. Ils acceptèrent avec joie ; ils étaient heureux de la voir élaborer un nouveau projet dans la douceur d'Arcachon.

De la même façon que pour l'aménagement de sa boutique à Londres, Kayla avait mis son père à contribution. La surface dont elle disposait au Moulleau n'avait rien à voir avec l'immensité du bâtiment londonien, mais elle paraissait heureuse dans sa nouvelle vie. Elle exposait dans sa boutique et trois fois par semaine sur les ports d'Arcachon, d'Andernos et de Gujan-Mestras.

Kayla prit son père par le bras et le conduisit dans le petit atelier jouxtant l'habitation.

— Regarde ça ! fit-elle fièrement.

Stephen détailla chacun des quatre murs peints d'une couleur différente.

— Ah oui, alors là chapeau bas, ma fille ! Très bon choix, j'adore ! Ça donne une impression d'espace, c'est très agréable. Et puis quel ordre, tout est rangé, c'est impressionnant ! Toi qui avais l'habitude... comment dire...

— D'être bordélique ?

— Exactement !

— Je donne des cours de peinture, j'ai des groupes de cinq personnes chaque fin d'après-midi. Je suis donc obligée de ranger un minimum. J'aime bien, et puis il y a une forte demande de la part des touristes. C'est amusant ; ils préfèrent suer devant une toile que de profiter de la fraîcheur du bassin.

Stephen ne disait rien, il regardait sa fille, le sourire accroché aux lèvres.

— Qu'y a-t-il ? demanda-t-elle.

— Rien. Je suis fier de toi, voilà tout ! Bon allez, je vais vider mon sac. Je te laisse ; je crois que tu as des clients qui s'impatientent.

Un couple de touristes allemands venait d'entrer dans la boutique et paraissait s'intéresser à une toile en particulier.

— O.K. À tout à l'heure, papa.

Stephen rangea ses affaires dans l'armoire de la deuxième chambre de la maison. C'était une petite pièce qui servait plutôt de « fourre-tout ». Lorsqu'il poussa la porte et découvrit le bazar organisé, cela le fit sourire : il y retrouvait le naturel de sa fille.

Tout en entassant les nombreux chevalets enchevêtrés dans un coin de la pièce, il ouvrit le canapé qui lui servirait de lit durant son séjour. Kayla lui avait bien proposé de lui prêter sa chambre au matelas beaucoup plus moelleux, mais il avait refusé. Il ne voulait en aucun cas bousculer les habitudes de sa fille.

Le temps était orageux et la chaleur étouffante de cette fin d'après-midi l'incita à prendre une longue douche froide. Il enfila un jean délavé, une paire de baskets bleu ciel et une chemise en lin blanc à col Mao.

Kayla finissait de dispenser son cours quotidien. Elle aperçut son père qui lui fit un signe de la main. Il partait se balader dans les rues déjà bondées du Moulleau.

Elle le regarda un instant pendant que ses élèves s'affairaient à reproduire avec difficulté les contours d'une barque de pêcheur. C'était son père, mais elle le trouvait beau, plein de charme. Ses cheveux n'étaient pas encore secs. Il les avait coiffés en arrière et on pouvait encore deviner les traces du peigne.

Stephen sortit de la boutique, puis disparut au milieu de la foule compacte, en direction de la plage.

19 heures. Kayla en avait assez de cette journée épuisante, elle ferma sa boutique plus tôt que d'habitude. Les clients, les cours de peinture, l'accumulation des heures depuis le début de la saison l'avaient convaincue de prendre un peu de temps pour elle.

Stephen n'était toujours pas revenu, elle en profita pour, elle aussi, passer par la case « salle de bains » et tenter de faire disparaître toutes les preuves colorées de son activité.

Les terrasses des restaurants alentour étaient déjà bien remplies lorsqu'elle sortit. Aucune trace de son père, cela l'étonna et elle préféra lui envoyer un message ; elle mourait de faim. Elle souhaitait lui faire découvrir le plateau de fruits de mer d'un des restaurants les plus courus du Moulleau. Il se situait en première ligne, face au phare de la presqu'île du Cap-Ferret. Elle y avait réservé une des tables les mieux placées.

Pas de réponse. Elle décida de partir à sa recherche. D'abord en direction de l'église Notre-Dame-des-Passes, située sur les hauteurs du Moulleau, exactement dans l'axe de la jetée. Ce magnifique monument devait son nom au rôle protecteur que lui attribuaient les marins afin de négocier dans les meilleures conditions les fameuses passes de la sortie du bassin au niveau du banc d'Arguin. De nombreux bateaux s'y étaient déjà fait piéger et n'avaient jamais connu la beauté et l'ivresse de l'immensité de l'océan Atlantique.

Kayla monta l'escalier qui menait à l'entrée de l'église. La vue sur la rue principale était idéale pour tenter de distinguer la silhouette de son père. Elle scruta longuement la foule sans succès et décida de lui envoyer un second message. Cinq minutes passèrent. Elle rejoignit la rue principale et se dirigea à pas lents vers la plage.

Stephen était adossé à un balustre de pierre, face à la mer. Les pieds dans le sable et les mains dans les poches, ses mèches de cheveux blond grisonnant volant dans la brise du soir qui commençait à forcir.

Kayla s'arrêta et l'observa attentivement ; il n'était pas là simplement pour admirer le magnifique paysage qu'offrait la plage du Moulleau. Il paraissait ailleurs. Il ne se rendit même pas compte qu'un jeune garçon, dont le ballon avait atterri près de lui, lui demandait gentiment de le lui renvoyer. Stephen s'excusa lorsque le gamin se retrouva à ses pieds.

Kayla s'avança et vint se placer derrière son père.

— Ça va, papa ? chuchota-t-elle à son oreille.

Il sembla se réveiller et sortit de sa torpeur.

— Ma fille ! Bien sûr que ça va, assura-t-il sans conviction.

Kayla n'était pas dupe ; la réponse de son père sonnait faux. Elle l'incita à se diriger vers la table qui, malgré le retard, les attendait encore.

Elle le prit par le bras.

— Allez, suis-moi, je t'invite !

— Oh, mais ce n'est ni mon anniversaire ni le tien, que se passe-t-il donc ? dit-il en plaisantant.

Kayla posa ses lèvres sur sa joue mal rasée, puis plongea ses yeux dans les siens.

— Il n'y a rien d'officiel à fêter, juste le plaisir d'être avec toi.

Le visage de Stephen s'éclaira d'un large sourire.

— Alors c'est la meilleure des raisons. Je te suis !

Le père et la fille s'installèrent à la table qui leur était réservée. Le serveur s'approcha de Kayla et demanda :

— Comme prévu, mademoiselle ?

— Oui, merci.

Stephen paraissait surpris.

— « Comme prévu » ?

— Attends un peu, impatient que tu es !

Le serveur posa sur une petite table un seau à glace contenant une bouteille de Tariquet Premières Grives. Il en servit un fond de verre à Stephen, qui d'un signe de tête lui signifia qu'il était parfait. Puis on leur apporta un immense plateau de fruits de mer : deux douzaines d'huîtres, deux homards, des crevettes, bulots et autres crustacés.

— Je suis un père comblé ! On trinque ? demanda-t-il en saisissant son verre.

184

— Avec plaisir, mais à quoi, papa ?

Il semblait dubitatif.

— À nous ?

— J'ai une autre idée, proposa Kayla.

— Oui ? Dis-moi !

— Tu viens de me dire que tu étais un « père comblé », alors trinquons pour que tu sois un « homme comblé » !

Ils restèrent silencieux, chacun plongé dans sa réflexion.

Stephen fit tinter les deux verres et reprit, hésitant, l'expression de sa fille.

— Donc... au futur « homme comblé ».

Ils dégustèrent lentement deux gorgées de vin avant d'attaquer le plateau de fruits de mer.

À Saint-Rémy-lès-Chevreuse, l'ambiance était morose. Camille préparait le repas, Richard, rentré plus tôt, s'était enfermé dans son bureau, prétextant des coups de téléphone urgents à passer. Cela surprit Camille ; Richard utilisait rarement son domicile comme une annexe du bureau.

Le matin même, Richard avait, dès son arrivée au cabinet, contacté son ami détective privé, qu'il faisait régulièrement travailler sur ses dossiers professionnels. Il lui avait demandé d'enquêter dans le quartier de la librairie *Des mots et des maux*, afin de savoir si des résidents y avaient déjà remarqué la présence de Camille. Son ami, qui réalisait près de la moitié de son chiffre d'affaires grâce au cabinet Mabrec-Loubin, abandonna pour une journée son travail en cours et se rendit rue du Temple, dans le quartier du Marais.

Richard avait également demandé à la compagnie de téléphone de lui fournir les factures détaillées des six derniers mois de l'ensemble des postes du cabinet. Il n'y avait que pour le portable de Camille qu'il ne pouvait rien faire, car, le contrat n'étant pas à son nom, sa demande aurait été refusée.

Il avait précisé que tous ces renseignements devraient lui être envoyés à son domicile. Il ne souhaitait pas qu'un de ses employés puisse entendre l'appel du détective ou qu'Isabelle, son assistante, qui avait accès à sa messagerie, découvre l'envoi de ces factures.

Il resta enfermé dans son bureau jusqu'à ce que son ami lui fasse part de ses investigations, qui ne souffraient aucun doute : les résidents proches de la librairie apercevaient régulièrement, et depuis plusieurs mois, la silhouette de Camille. Certains avaient échangé quelques mots avec elle. Deux personnes l'avaient même vue se rendre toujours au même endroit... au fond de l'impasse pavée.

Ce qu'il pressentait se confirmait. Son ami lui demanda s'il devait poursuivre ses recherches. Richard lui répondit que s'il avait besoin de lui il ne manquerait pas de le recontacter.

Il raccrocha et vit l'icône signalant l'arrivée d'un mail s'éclairer sur l'écran de son ordinateur. Il venait de recevoir les factures de téléphone du cabinet. Il ouvrit la pièce jointe et fit défiler le long listing. Il ne s'intéressa qu'au poste de Camille. Le numéro relevé au secrétariat de l'hôpital y apparaissait avec, parfois, des durées d'appel qui lui donnèrent la nausée.

Ses derniers espoirs s'effondraient.

D'habitude si réservé et soucieux de ne montrer aucune émotion, Richard sentit monter en lui une colère froide. Il tenta de se calmer et prit la décision de parler à Camille lorsqu'ils seraient seuls le soir même ; il ne voulait pas faire subir à sa fille une ambiance qui, inévitablement, prendrait une mauvaise tournure.

Ce n'est qu'après le repas qu'il décida de mettre sa femme face à ses responsabilités. Vanessa avait remarqué l'agacement de son père et avait préféré laisser ses parents seuls. Elle était retournée dans sa chambre.

Richard se leva et alla se servir un whisky qu'il but à petites gorgées.

Camille tenta de le raisonner.

— Richard, c'est le deuxième verre que tu te sers ce soir !

Sa réponse fusa.

— Tu n'as aucune remarque à me faire !

Malgré le ton employé par son mari, elle essaya de réitérer ses conseils.

— Richard...

Il ne lui en laissa pas le temps.

— Tais-toi !

Camille s'agaça.

— Ne me parle pas comme ça !

— Je te parle comme je veux !

— Mais enfin Richard, que se passe-t-il ? Pourquoi es-tu odieux ? C'est la première fois que tu...

— Il faut bien qu'il y ait une première fois, répondit-il ironiquement.

— Arrête de tourner autour du pot et dis-moi ce qui te met dans cet état ! Un dossier, la fatigue, le stress ? Parle-moi !

Richard ne pouvait pas. C'était plus fort que lui, il n'arrivait pas à avouer simplement et directement à Camille qu'il savait pour elle et Stephen. Cela aurait été pour lui une forme de rupture définitive, comme si un conflit devait obligatoirement conduire à un point de non-retour.

Il choisit de s'exprimer indirectement. La situation devenait irréelle : Richard transformait la réalité en supposition et Camille, qui avait déjà des doutes, comprit tout de suite qu'il savait pour Stephen. Elle entra dans son jeu.

Leurs échanges auraient pu tourner au fiasco, mais ils se connaissaient trop. Chacun put exprimer son ressenti dans une ambiance qui, curieusement, se calma au fur et à mesure de la conversation.

Richard s'exprima d'abord avec confusion. Ses idées s'emmêlaient. Les questions et les affirmations se bousculaient.

— Ta copine Sabine, elle a trompé son mari combien de temps ? Elle est revenue après, non ? En fait, elle avait fait une erreur. Elle s'est rendu compte que ça ne valait pas le coup de tout détruire pour une aventure…

Camille ravala sa salive.

— Pourquoi me parles-tu de Sabine ?

— Pourquoi pas ?

— Euh… six mois… sa liaison a duré six mois.

— Et elle est revenue ?

— Oui.

— Pour quelle raison ?

Camille hésita.

— Eh bien, sans doute qu'elle n'a pas trouvé… ce qu'elle cherchait.

— C'est bien ce que je disais : une aventure !

Richard disait « Sabine » et il pensait « Camille ». La situation générale pouvait être semblable, mais la comparaison s'arrêtait là. « Aventure » sonnait faux dans l'esprit de Camille. Ce qu'elle vivait avec Stephen ne ressemblait en rien à une aventure. Elle laissa Richard poursuivre.

— Tu en serais capable, toi ? lança-t-il.

Que devait-elle répondre ? Nier l'évidence ou avouer une vérité brute ? Face à ses propres mensonges et contradictions, Camille eut une réponse surprenante, comme une forme de fuite en avant.

— Je crois que tout le monde en est capable. Même moi ! précisa-t-elle.

Ils se retrouvèrent face à face, silencieux et hésitants. À peine Camille avait-elle prononcé ces quelques mots qu'elle le regrettait déjà.

Elle attendait ; elle avait peur d'être allée trop loin.

Richard lâcha son regard et se mit à déambuler dans la pièce. Camille, toujours immobile, ne le quittait pas des yeux, attentive à la moindre de ses réactions.

Tout à coup, il s'arrêta et fixa de nouveau sa femme. Il glissa ses mains dans les poches de son pantalon, il paraissait sûr de lui, la colère quittait peu à peu son visage.

Sans s'en rendre compte, Camille venait de lui offrir la possibilité d'exprimer ce qu'il ressentait.

— Eh bien, tu vois, Camille, tu affirmes que tu serais capable de me tromper !

Elle tenta de modérer ses propos.

— Non, Richard, je ne voulais pas...

— Laisse-moi terminer ! lui imposa-t-il.

Elle se tut et le laissa poursuivre.

— Je sais que je ne suis pas ou que je ne suis plus l'homme que tu espérais. Je sais aussi que je te néglige et que je m'investis trop dans le cabinet. Je sais enfin que je te laisse gérer Vanessa et Lucas et que je ne suis peut-être pas le père que tu attendais pour nos enfants.

Touchée par cette inhabituelle confession, Camille tenta de minimiser les torts qu'il venait d'énoncer.

— Ce n'est pas si simple, Richard, tu n'es pas...

Il ne l'écoutait pas et suivit le fil de sa pensée.

— Je sais tout cela, je sais également que ton métier t'offre l'opportunité de multiples rencontres. Tu es une femme ravissante et tu dois attirer l'attention. Ce dont je suis sûr, c'est que si un jour tu me trompais, ce serait à toi de décider ce que tu dois faire : partir ou rester !

Il eut un moment d'hésitation, semblant chercher ses mots. Camille en profita.

— À moi ? Partir ou rester ? Que veux-tu dire ?

— Je veux simplement dire que je t'aime, que je ne veux pas te perdre et que dans l'hypothèse où... ce serait à toi de décider, un peu comme... Il hésita.

— Un peu comme quoi ? s'enquit-elle.

— Comme... ta copine Sabine qui a compris qu'une aventure ne pourrait pas remplacer vingt ans de vie commune.

— Et s'il ne s'agissait pas d'une aventure. Si... Sabine avait trouvé le grand amour plutôt qu'un simple amant de passage ?

Richard éclata de rire. Les restes de son éducation rigide où toute émotion semblait exclue venaient de refaire surface.

— Le grand amour ! Mais ça n'existe pas, Camille !

— En es-tu si sûr ? Pourquoi dis-tu cela ?

En guise d'explication, Camille n'eut droit qu'à une réponse « à la Mabrec ». Elle eut l'impression d'entendre le discours figé de sa belle-mère.

— Parce que c'est comme ça ! Un amour, ça se construit avec le temps, avec des enfants, avec des habitudes communes.

Elle insista.

— Et si ça existait quand même ? Ce n'est pas parce que tu n'y crois pas que...

Il lui coupa la parole.

— Eh bien, ce serait triste, mais ce serait fini, dit-il sans aucune hésitation.

— Ce serait fini ?

Richard s'énervait de plus en plus.

— Si… ta copine avait connu le « grand amour », elle aurait dû partir, voilà tout. Comme ce n'était pas le cas, elle a rompu ! Sinon… c'était à son mari de partir.

— Bien sûr. Mais Sabine a compris.

— Que ce n'était qu'une aventure ? ajouta-t-il.

— Oui… abdiqua Camille.

— Alors c'est très bien ! Enfin, façon de parler… Car tout cela fait des dégâts. Le temps est le meilleur des alliés. Il efface tout, affirma Richard.

Le silence s'installa. Camille préféra s'occuper et débarrassa la table. Richard zappa quelques minutes sur les chaînes de sport avant de monter se coucher.

— Bonsoir. À demain.

— Je finis de ranger, je ne vais pas tarder. Bonne nuit.

Camille regarda son mari monter lentement l'escalier. Leur discussion, à défaut d'avoir été directe, avait eu le mérite, d'une certaine façon, d'être franche.

Richard savait tout. C'était à elle de faire un choix : entre « l'aventure » et le « grand amour ».

Camille s'assit sur le canapé. Elle était épuisée. La tête lui tournait. Elle ferma les yeux un instant. Elle posa sa main sur ses reins qui, depuis quelques semaines, la faisaient terriblement souffrir. Les Doliprane et Nurofen avalés à forte dose ne suffisaient plus à calmer la douleur, qui ne lui laissait que quelques heures de répit par jour.

Ce soir, Camille se sentait vieille et seule. Le contrecoup de l'accident, le stress lié à l'état de Vanessa, les tensions avec Richard avaient eu raison de sa résistance. Son corps avait de plus en plus de mal à faire face.

Elle alluma une cigarette, se dirigea vers le jardin et s'allongea dans l'herbe. Peu à peu, elle sentit ses vertèbres décompresser les unes après les autres... La douleur s'estompait, elle resta allongée le temps de fumer sa cigarette.

Puis elle tritura son portable. Elle savait qu'elle ne devait pas, mais ce soir, malgré la conversation qu'elle venait d'avoir avec son mari, elle avait besoin de savoir que Stephen pensait à elle.

Il était déjà près de 1 heure du matin. Elle rédigea quelques mots, leur expression favorite.

> À plus... de toi.

Au même moment, à Arcachon, Stephen dormait paisiblement ; il venait de passer un merveilleux moment en compagnie de Kayla. Il ne se doutait pas qu'à Paris était en train de se jouer leur avenir.

*
**

— C'est nous ! hurla Amélie en tambouri-
nant sur la porte d'entrée.

Camille, emmitouflée dans un plaid, venait
de s'assoupir sur le canapé. Elle se traîna
jusqu'à la porte d'entrée et ouvrit à ses amies.

Découvrant l'allure de sa copine, Sabine
resta un instant la bouche grande ouverte de
surprise.

— Mon Dieu ! Mais qu'est-ce qui t'arrive ?
s'étonna-t-elle.

En guise de réponse, Camille leur offrit un
léger sourire et les invita à la suivre.

— Vous voulez un café ? Je vais en reprendre
un.

— Oui, pour t'accompagner, répondit Sabine.

À pas lents, Camille se dirigea vers la cuisine,
son plaid sur les épaules.

Amélie, d'habitude si bavarde, n'avait toujours rien dit. Elle observait sa copine, avec
son vieux jogging trop large, ses cheveux en
bataille et le maquillage de la veille qui avait
coulé sur ses joues. Mais une fois dans la cuisine, alors que le ronronnement de la machine
à expresso se faisait entendre, elle n'y tint plus
et s'écria :

— Eh ben, on pensait te trouver fatiguée,
mais là ! Tu as fait quoi ? La bamboula toute
la nuit ?

Camille poussa un profond soupir, déposa
les tasses de café sur un plateau et regagna le
salon.

— Eh ! Je t'ai posé une question, je crois, insista Amélie. Qu'est-ce que tu as fait pour être dans cet état ?

— J'ai dormi sur le canapé, enfin dormi, façon de parler...

— Tu es seule ? C'est quoi ce bruit à l'étage ? On te dérange, peut-être ?

Camille posa les tasses sur la table basse.

— C'est Boussara qui fait le ménage. Richard est parti tôt au bureau, Lucas est aux *Vieux Tilleuls,* chez Mathilde et Hubert. Quant à Vanessa, elle est chez le kiné pour sa rééducation.

— Et c'est normal que tu sois dans cet état ? insista Amélie.

Camille haussa les épaules et finit de boire son café.

— Oh, tu vas te bouger ! Que se passe-t-il ?

— Ça va...

Amélie s'énerva.

— Tu te fous de nous ? Ta fille va bien, toi, tu as eu une chance folle de ne pas avoir de blessures graves, alors bouge-toi ! Réagis !

— Si tu le dis ! ironisa Camille. Vous savez que j'ai revu mon enfance lorsque j'étais dans le coma ?

Sabine et Amélie se regardèrent, l'air ahuri. Elles commençaient à se demander si Camille avait recouvré toutes ses facultés intellectuelles.

— Mais qu'est-ce que tu racontes ?

— La vérité, j'ai revu mon enfance. Une petite fille – c'était moi – me parlait. J'étais

195

bien, c'était à Arcachon. Je n'aurais jamais dû quitter cette ville. Je suis bien là-bas, c'est chez moi. Qu'est-ce que je suis venue foutre à Paris !

— Ça ne va vraiment pas, toi. Qu'est-ce qui te tracasse ? Dis-nous ce qui te perturbe à ce point !

Camille se figea, son visage était transparent. Ses yeux s'embuèrent, elle éclata en sanglots. Sabine s'approcha et la serra dans ses bras.

— Pleure si tu en as besoin, pleure, vas-y !

— J'en peux plus, tout est trop difficile, trop compliqué ! avoua-t-elle.

Amélie intervint.

— Allez, fini la sinistrose ! On va s'occuper de toi. À midi, on t'embarque avec ta fille, et on file déjeuner dans notre brasserie.

Boussara venait de terminer le ménage des chambres et avait entendu la fin de la conversation.

— Vous avez raison de la secouer un peu ! Depuis ce matin, madame est là, affalée comme une mourante.

Elle descendit l'escalier avec son énergie habituelle, posa l'aspirateur et s'approcha de Camille.

— Et ce plaid, vous allez me quitter ce plaid, oui ou non ? Il fait déjà près de 30 degrés dehors. On dirait une mamie dans une maison de retraite.

— À quelle heure Vanessa sort-elle de sa séance de kiné ? demanda Sabine.

— 11 h 30.

— Parfait, nous avons une heure pour te rendre figure humaine. Il faut bien que tu ressembles à quelque chose, plaisanta Amélie.

— Voilà ! ça, c'est bien, mesdames ! confirma Boussara de sa voix forte et avec cet accent qui incitait à la bonne humeur.

Camille sourit et partit s'enfermer dans la salle de bains, où elle prit une longue douche brûlante, malgré la chaleur déjà bien présente en cette matinée de début d'été.

— On va être en retard, dépêche-toi ! Vanessa va nous attendre, lui lança Sabine depuis le rez-de-chaussée.

— J'arrive, j'arrive, je m'habille !

Camille enfila la première robe qui lui tomba sous la main. Elle revint dans la salle de bains et ne prit même pas le temps de se sécher les cheveux, qu'elle lissa en arrière. Elle était prête et descendit rejoindre ses amies. Avant de partir récupérer sa fille, elle souhaitait lui envoyer un SMS afin de la prévenir du changement de programme.

— Mais où ai-je mis ce satané portable ? pesta-t-elle.

Amélie fit une mimique amusée et, avec son pouce, à la manière d'une auto-stoppeuse, lui indiqua le bureau situé contre la baie vitrée.

— Il n'arrête pas de vibrer. Tu dois avoir des messages, ironisa-t-elle.

Quatre SMS de Stephen qui, après un lever tardif, venait de découvrir son message de la veille. Il avait compris qu'il s'agissait d'une forme d'appel à l'aide.

10 h 30.

Ça va ? Tu es sûre ? Appelle-moi !

10 h 45.

Camille, que se passe-t-il ?

10 h 47.

Je m'inquiète, réponds-moi !

10 h 48, 10 h 49.
Deux appels en absence.

10 h 51.

J'ai peur ! Où es-tu ?

Camille rédigea rapidement un message pour sa fille. Tout en se dirigeant vers la porte d'entrée, elle pensa qu'elle devrait répondre à Stephen. C'était elle qui l'avait sollicité et il s'inquiétait. Mais elle n'en fit rien et partit chercher Vanessa avec ses amies.

10
La vie n'oublie rien

Chacun de nous sera, un jour, confronté à ses trahisons et à ses mensonges. Nous devrons alors faire face à nos errements comme à nos échecs.

Personne n'y échappera, pourquoi lutter ?

Pourquoi résister et attendre de ne plus avoir le choix ?

Parce que nous sommes faibles devant la force de la vie qui, elle, n'oublie rien !

— Maman, te voilà enfin !

À peine Richard venait-il d'immobiliser le crossover dans la cour des *Vieux Tilleuls* que Lucas tentait d'ouvrir la portière passager.

— Lucas, attends que ton père finisse de se garer, c'est dangereux ! s'écria Hubert d'un ton inquiet.

Camille eut juste le temps de descendre du véhicule avant que son fils se jette dans ses bras.

— On dirait que je t'ai manqué un peu…
beaucoup, ironisa-t-elle.

— Ça faisait longtemps ! avoua le jeune
garçon, heureux de retrouver sa famille.

À l'arrière de la voiture, la voix de Vanessa
se fit entendre. La jambe allongée sur la banquette, elle s'impatientait.

— Quand les effusions seront terminées,
si quelqu'un pouvait m'aider à sortir de là, ce
serait bien !

Lucas lâcha sa mère, alla ouvrir la portière
à sa sœur et, tout en mimant une révérence,
l'invita à descendre.

— Si mademoiselle l'handicapée veut bien
se donner la peine.

Vanessa, qui n'en pouvait plus de cette position plus qu'inconfortable, lança un peu rude-
ment à son frère :

— Tu es toujours aussi nul ! Au lieu de dire
des bêtises, attrape donc mes béquilles dans le
coffre.

Lucas poursuivit sur le même ton :

— Avec grand plaisir, chère demoiselle.
Puis-je me permettre de vous demander comment va le sieur François ?

Vanessa haussa les épaules.

— Mon pauvre frère, tu es vraiment très
lourd, s'agaça-t-elle en saisissant ses béquilles.

Son père l'aida à descendre pendant que
Lucas s'enfuyait en courant, gloussant de satisfaction.

Mathilde s'approcha, elle salua Richard, s'inquiéta de l'état de Vanessa. Maryse restait plantée sur la terrasse, dans l'attente que son fils, sa femme et leurs enfants se dirigent vers elle.

Mathilde prit Camille dans ses bras.

— Tu n'as pas l'air en forme, toi ? Tu as encore maigri, remarqua-t-elle en lui pinçant la joue.

— Ça va, ma « petite mère », merci. Je vais saluer la belle-famille... je reviens. Au fait, tout le monde est arrivé ?

— Oui, ils sont tous là. Ils viennent de partir en balade avec Maxime, qui souhaitait leur montrer les nouvelles parcelles qu'il vient d'acquérir. Seule Kalynia n'a pas profité de la balade. Elle se repose avec les jumeaux.

— O.K. À tout à l'heure, ma « petite mère ».

Richard embrassa rapidement sa mère avant de transporter les valises dans l'appartement réservé à sa famille.

Camille s'avança lentement ; elle tenait Vanessa par le bras pour l'aider à grimper les quelques marches qui conduisaient à la terrasse. Sa belle-mère n'avait toujours pas bougé !

— Bonjour Maryse. Vous allez bien ? fit-elle d'un ton parfaitement neutre.

— Très bien, mais c'est à vous et à Vanessa qu'il faut demander cela, répondit sa belle-mère d'une voix mielleuse et, comme à l'accoutumée, faussement sincère.

— Vanessa suit sa rééducation, les contrôles sont bons. Jusqu'à fin août, elle doit s'aider des béquilles, mais ça va.

La jeune fille embrassa silencieusement sa grand-mère et s'éloigna en direction de l'entrée de la bâtisse.

— Et vous Camille, dites-moi, cet accident, ce n'est plus qu'un mauvais souvenir, je suppose ?

— Je suis encore très fatiguée, je récupère doucement.

— Allons donc ! Vous avez une mine superbe ! Ne vous laissez pas aller, les Mabrec ne se laissent jamais aller !

Camille fixa sa belle-mère, son esprit se mit à divaguer : « Une mine superbe... évidemment... mais je suis une Loubin, je ne suis pas une Mabrec et j'accepte la faiblesse. »

— Vous semblez ailleurs, Camille...

— Non, non, je pensais... aux soins de Vanessa.

— Je suis contente d'avoir mes trois fils et leur progéniture. Nous allons passer un excellent week-end. Même Clélia a pu se libérer, en sixième année de médecine, vous vous rendez compte !

Camille n'avait pas envie de supporter une énième description des qualités de Clélia, la fille d'Eymeric et Clémentine, l'exemple de la petite-fille parfaite selon Mathilde.

— Oui... Excusez-moi, je dois aider Vanessa à défaire sa valise.

— Évidemment. À tout à l'heure.

**

Le soleil commençait à baisser à l'horizon sur les plaines de la Beauce. Maxime, ses deux fils, Clémentine et Clélia venaient de rentrer de leur longue promenade.

Puis chacun vaqua à ses occupations dans l'attente du repas, prévu pour 20 heures.

Mathilde s'affairait depuis le milieu de l'après-midi en cuisine afin de confectionner un de ces dîners dont elle seule avait le secret. Camille alla la rejoindre, c'était une habitude qu'elles avaient prise avec les années. Camille l'aidait un peu, mais elle profitait surtout de la présence de sa « petite mère ». Parfois elle éprouvait le besoin de lui parler sans discontinuer, parfois elle ne disait rien ; sa présence lui suffisait.

— Alors, qu'est-ce que tu nous as préparé de bon ?

— Tiens, te voilà ! Je me demandais quand tu allais venir. Eh bien, pour une fois tu ne sauras pas ce que j'ai préparé, c'est une surprise !

— Ah non, non, non... je veux savoir ! s'amusa Camille, qui tentait de s'approcher des plats mijotant à feux doux sur la cuisinière.

— Interdit, je t'ai dit ! insista Mathilde, bloquant l'accès aux fourneaux en écartant les bras.

Un pas rapide, puis une voix connue se firent entendre dans le couloir.

— En même temps, avec les odeurs, ce n'est pas difficile à deviner ! Chocolat en dessert, ça, c'est sûr !

— Kalynia, ma belle ! Comment vas-tu ? Je ne voulais pas te déranger ; tu te reposais.

Les deux belles-sœurs se serrèrent longuement dans les bras ; elles étaient heureuses de se retrouver.

— Eh bien, dis-moi ! Que me vaut ta visite dans mon univers ? C'est assez rare, lui fit remarquer Mathilde.

— J'avais envie, dit celle-ci, hésitante.

— Mais encore ?

— En fait, pour être franche, je voulais être tranquille un moment avec vous deux. Ça va être difficile, jusqu'à dimanche, alors j'en ai profité.

Camille fronça les sourcils de surprise.

— Un secret ? Une annonce ? interrogea-t-elle en se retournant vers Mathilde, qui attendait que Kalynia poursuive.

— Eh bien... j'ai une bonne nouvelle à vous annoncer !

— Allez, arrête de nous faire languir, insista Camille.

Mathilde se contenta de sourire largement.

— Je m'en suis aperçue dès que tu es arrivée, assura-t-elle en s'essuyant les mains sur son tablier.

— C'est vrai ? Pourtant je n'ai rien dit.

— Tu n'as pas besoin.

204

Camille, un peu perdue, assistait impuissante à la conversation.

— Euh, excusez-moi, mais si vous pouviez m'éclairer et arrêter le jeu des devinettes.

Mathilde se redressa.

— Enfin Camille, tu n'as pas remarqué le petit ventre rond de ta belle-sœur ?

— Comment l'as-tu su exactement ? s'étonna Kalynia.

— Quand tu es descendue de ton camping-car, ta démarche avait changé. On ne la fait pas à une femme... d'un certain âge.

Camille sourit.

— Trop contente ! Mais vous êtes des cachottiers, vous n'avez jamais rien dit de vos intentions.

— Oh tu sais, avec Evan tout se fait un peu à l'instinct ou à l'envie, je ne sais pas. En tout cas, on est super contents !

Camille réfléchit un instant et demanda :

— Mais alors, quand tu es venue après l'accident...

— Eh oui, j'étais déjà enceinte.

— Ça me touche, murmura Camille. Et c'est prévu pour quand ?

— Eh bien, nous risquons d'avoir des vacances de Noël agitées...

— Et qui est au courant ?

— Evan et... vous deux. Je tiens à ce que personne d'autre ne le sache pour l'instant.

— Je suis contente, je suis contente ! répéta Camille en l'embrassant.

— Par contre, j'ai un problème, annonça la jeune femme d'un ton faussement solennel.

— Des jumeaux, encore ? s'exclama sa belle-sœur.

— Ah non, ils sont adorables, mais une fois c'est suffisant ! J'ai une requête à te faire et j'espère que tu accepteras.

Camille sentit une vive émotion l'envahir ; cette fois-ci, elle n'eut pas besoin de Mathilde pour comprendre ce que Kalynia allait lui demander.

— Nous souhaiterions, avec Evan, que tu acceptes…

Camille ne la laissa pas terminer.

— Avec un immense plaisir ! affirma-t-elle.

Kalynia termina tout de même sa phrase.

— … que tu acceptes d'être la marraine !

— Bien sûr ! D'ailleurs, si vous ne m'aviez pas choisie, je t'aurais étranglée. C'est super !

— En voilà une bonne nouvelle ! se réjouit Mathilde. Oh, mais zut ! Avec toutes ces émotions, j'ai oublié de baisser le feu. Pas grave, il y aura un peu moins de sauce.

— L'année prochaine, tu pourras pouponner et même faire découvrir la cuisine à ta filleule ou ton filleul, plaisanta Kalynia.

Le visage de Camille perdit son éclat, il ne refléta plus que tristesse et inquiétude.

— L'année prochaine…

— Que se passe-t-il ? Pourquoi dis-tu cela ?

— On ne sait jamais, c'est long un an. Tellement d'événements peuvent arriver.

— Tu me fous le bourdon, ça n'a pas l'air d'aller ?

— Je suis fatiguée… avoua Camille avec une profonde lassitude.

Mathilde, qui remplissait les corbeilles de pain, s'inquiéta aussitôt.

— Et tes malaises, ils ont repris ? Tu as pu obtenir un rendez-vous ?

— Régulièrement, j'ai des étourdissements, des douleurs dorsales qui n'en finissent plus malgré les anti-inflammatoires. Pour couronner le tout, mon médecin m'a trouvé à deux reprises une tension à plus de 16, alors que je suis épuisée et que depuis toujours je n'ai jamais dépassé 11. Je n'arrive pas à digérer cet accident…

— Tu dois faire des examens, ce n'est pas normal, tout ça ! conseilla Kalynia.

— C'est fait, depuis la semaine dernière. J'ai consulté dans le service où j'avais été admise après l'accident. J'ai passé une batterie d'examens. J'attends les résultats.

— Tu m'inquiètes, Camille. Tu me tiendras au courant ? demanda Mathilde.

— Bien sûr, bon allez, terminé les lamentations ! Je crois que la cheftaine nous attend. Allez hop… « Le » repas de famille !

Kalynia leva les yeux au ciel comme pour appuyer le propos de sa belle-sœur.

— Le fameux… repas de famille, le top du top, ironisa-t-elle.

— Allez ouste, toutes les deux ! Je ne veux plus vous voir ici. L'apéritif vient d'être servi.

Kalynia et Camille se dirigèrent vers le salon bras dessus, bras dessous.

Le repas se déroula dans une ambiance plus détendue que d'habitude. Et même si Maryse ne put s'empêcher de vanter les mérites de Clélia, sa « meilleure petite-fille », ses remarques ne semblaient pas avoir autant de prise que d'habitude. Kalynia et Evan étaient déjà tout à leur bonheur d'être à nouveau parents. Quant à Camille et Richard, ils restaient préoccupés par leurs soucis de couple et l'inconnu de leur avenir.

Depuis la discussion qu'ils avaient eue quelques jours auparavant, Richard paraissait plus détendu, plus sûr de lui. Camille savait que, pour son mari, le temps pouvait arranger les choses, d'autant qu'elle avait presque accepté d'admettre qu'elle s'était égarée dans une relation qui ne durerait pas. « Une simple aventure », selon ses termes rassurants.

Ce que Camille ignorait, c'est que Richard était allé se confronter à Stephen quelques jours auparavant.

Richard débarqua devant *Des mots et des maux* un matin avant l'ouverture. La cour pavée était déserte et le silence de ce quartier paisible de Paris contrastait avec la tension que provoquait en lui l'idée d'affronter son rival.

Richard frappa à la porte. Stephen ouvrit, pensant qu'il s'agissait d'un client un peu trop pressé de profiter de la boutique.

— Entrez, je finis mon thé. Je suis à vous dans cinq minutes, fit-il avant de remonter à l'étage.

Dès qu'il aperçut Stephen, Richard fut saisi par son fort accent et son allure. La vision de cet homme le perturbait ; il était son exact opposé. Stephen présentait une stature naturelle, décontractée, presque négligée, qui contrastait avec la rigidité de Richard, enfermé dans ses costumes sombres et parfaitement coupés.

Il ravala sa salive et attendit que Stephen redescende. Là, il se planta devant lui, bien décidé à en découdre.

— Vous cherchez un ouvrage en particulier ? demanda Stephen, très à l'aise.

— Non !

— Très bien, alors je vous laisse fureter. Je suis à mon bureau, n'hésitez pas si vous avez besoin de renseignements.

— Je n'ai besoin d'aucun renseignement ! affirma Richard, fixant Stephen de son regard noir.

— Ah... et... ?

Sans hésitation, toujours immobile, Richard déclara :

— Je suis Richard Mabrec, le mari de Camille Mabrec !

Le visage de Stephen se crispa. D'habitude si rapide lorsqu'il s'agissait de faire preuve de repartie, il ne sut que balbutier :

— Écoutez... je ne m'attendais pas à...

— Je me doute que vous ne vous attendiez pas à me voir débarquer dans votre... boutique !

Stephen tentait de reprendre pied dans ce dialogue à sens unique.

— Et... nous sommes censés faire quoi maintenant ?

— Je suis venu vous dire que je sais tout des relations que vous entretenez avec ma femme et qu'elles doivent cesser !

L'aplomb de Richard surprit Stephen. Un rictus d'étonnement se dessina sur son visage.

— Ce n'est peut-être pas si simple, c'est à... Camille de décider, fit-il remarquer.

— Si, c'est très simple, ma femme a fait une erreur. Tout cela doit cesser. Elle doit reprendre le cours de sa vie, voilà tout ! Car sa vie, c'est une famille, des enfants qu'elle adore, un métier où elle s'épanouit, un confort dont elle aurait du mal à se passer... et accessoirement un mari qui l'aime.

Ces mots firent l'effet d'un uppercut dans l'esprit de Stephen. Ils lui confirmaient ce que son ami Erwan avait déjà souligné : cette « autre vie » de Camille, celle qu'il ne pourrait jamais lui offrir. Mais l'amoureux fou qu'il était refit bientôt surface. Richard avait exposé son point de vue, mais Camille ?

— C'est elle qui vous l'a dit ? questionna-t-il.

— Quoi donc ?

— Eh bien, qu'elle avait fait une erreur, c'est bien cela que vous venez d'affirmer ?

210

Richard bafouilla à son tour :

— Oui... enfin... nous avons discuté.

— Vous avez discuté de quoi ? insista Stephen.

— Vous m'agacez ! Nous sommes convenus qu'un tel comportement ne pouvait pas durer, voilà tout !

Stephen venait de saisir le fonctionnement de Richard. Il était persuadé que Camille n'avait jamais « avoué » avoir fait une erreur. Il préféra le laisser déverser sa bile et ses propos bien trop catégoriques. Si leur histoire devait se terminer, c'était à Camille de le décider et à personne d'autre ! Ni à lui ni à Richard.

— Si c'est elle qui le souhaite...

— Très bien. C'est ici que... ? demanda Richard en examinant tous les recoins de la librairie.

— Quelle importance ?

— Bien sûr...

— C'est tout ?

— Je peux savoir où vous vous êtes connus ?

— Camille a dû vous le dire.

— Eh bien... non, une rencontre au hasard dans Paris, sans aucun doute ?

Stephen en était désormais certain : la seule chose que savait Richard, c'était l'existence de la relation qu'il entretenait avec Camille. Mais même s'il était sûr qu'elle n'avait jamais reconnu avoir fait « une erreur », il était inquiet. Camille se trouvait désormais dans l'obligation de faire un choix.

Il décida de mettre un terme à cette conversation qui ne mènerait à rien.

— Je ne vous raccompagne pas, la porte est juste derrière vous.

Richard traversa rapidement la cour. Stephen fit claquer la porte de sa librairie, la referma à clef et se dirigea vers la véranda ; il voulait être seul.

11

Moi, je m'étais dit...

Moi, je m'étais dit : la passion, ce n'est pas pour moi !

Ce genre de truc qui vous fait faire des choses incroyables, ce genre d'état qui vous rend idiot, qui vous fait perdre toutes vos certitudes.

Non, ce n'est pas pour moi et pourtant je suis là, debout sous la pluie, à laisser les gouttes me frapper le visage, à regarder un ciel désespérément gris alors que le soleil brille... mais il n'y a que moi qui peux le voir !

Putain que c'est con, cette fameuse passion ! Putain que ça fait mal ! Mais j'aime ça, je me sens vivant à me souvenir d'un parfum, d'un visage, du son de sa voix, de la chaleur de sa peau... Où est-elle ? Que fait-elle ? Je n'en sais rien et je m'en fous ! Au moins la passion a-t-elle un avantage : la jalousie devient inutile, trop banale, trop classique. Un instant d'elle me suffirait, juste entendre sa respiration, sentir le souffle de ses cheveux quand elle tourne la tête un peu trop vite et me lance ce regard qui m'envoie où plus rien n'a d'importance, non, plus rien, juste elle, juste son espoir !

Moi, je m'étais dit : la passion, ce n'est pas pour moi... depuis elle, je ne dis plus rien... je l'attends !

La rue du Temple, l'arche de pierre, la cour pavée, la glycine mal taillée, puis la devanture de *Des mots et des maux*.

Camille posa sa main sur le loquet, la porte était fermée. Elle était venue plus tôt que prévu, et Stephen était encore occupé avec les touristes présents le long des quais de Seine à la découverte des boîtes vertes des bouquinistes.

Elle s'approcha du vieux banc de bois et glissa sa main sous une des lattes pour y prendre les clefs de la librairie. Elle connaissait la cachette, Stephen la lui avait indiquée lors d'une de ses premières visites. Mais chaque fois qu'elle arrivait en avance, elle attendait le retour de celui qu'elle aimait sans oser pénétrer seule dans son univers.

Aujourd'hui, pourtant, elle n'hésita pas et entra dans la librairie déserte. À peine avait-elle entendu le grincement des vieux gonds usés par le temps que l'odeur apaisante des fleurs de Bach parvint à ses narines. Elle ferma les yeux et inspira profondément.

Depuis que Stephen lui avait fait découvrir cet élixir floral, elle ne pouvait plus s'en passer.

214

Cette senteur si caractéristique était devenue une forme de présence rassurante.

Camille referma doucement la porte, comme si elle ne voulait pas déranger la quiétude de la librairie à peine éclairée par les rayons de soleil qui pénétraient dans la cour pavée. Elle se sentait bien dans ce lieu où chaque livre, chaque objet avait une place particulière que seul Stephen connaissait. N'importe qui aurait pu penser qu'il s'agissait du plus grand bric-à-brac littéraire, mais les clients étaient à chaque fois surpris de la rapidité avec laquelle leur libraire pouvait dénicher l'ouvrage qu'ils recherchaient.

Camille monta à l'étage. Sur la mezzanine était installé le coin salon. Son regard s'arrêta sur le large canapé. Combien de fois s'y étaient-ils aimés ? Combien de fois s'y étaient-ils fait mille promesses ?

Elle s'assit et glissa peu à peu la tête dans un des moelleux coussins. Elle retira ses escarpins, allongea ses jambes et ne tarda pas à se détendre, puis à s'endormir.

Lorsque Stephen passa la main sous le banc et constata que la clef n'était plus là, il fut certain que Camille l'attendait. Il entra doucement, faisant le moins de bruit possible ; il souhaitait lui faire la surprise de son arrivée.

À peine avait-il fait quelques pas qu'il remarqua, à l'étage, la veste et le sac de Camille posés sur le rebord du canapé. Il devina quelques mèches de cheveux bruns sur l'un des coussins. Il entendit sa respiration calme et profonde, un très léger ronronnement qui donnait à l'ambiance sereine de la libraire une quiétude supplémentaire.

Stephen enleva ses chaussures en bas de l'escalier, il prit garde de ne pas faire craquer les marches de bois. À mesure qu'il progressait, il découvrait un peu plus du corps allongé de celle qu'il aimait. Elle paraissait apaisée. Debout au-dessus d'elle, il la regarda longuement. Cela faisait près de trois semaines qu'ils ne s'étaient pas vus. Son visage lui semblait amaigri, ses rides d'expression plus creusées. Son teint pâle contrastait avec le brun de ses cheveux. Deux mèches lui barraient le front et venaient cacher une de ses paupières. Elle portait une robe légère en lin beige avec de fines lanières de soie. Stephen pouvait deviner en transparence un soutien-gorge blanc sans bretelles. Une de ses jambes était repliée, laissant apparaître le galbe de sa cuisse. Elle avait les bras le long du corps.

Ce corps qu'il connaissait si bien, ce corps qu'il avait tant de fois aimé jusqu'à l'épuisement.

Il aurait pu la réveiller, l'embrasser, la caresser avec tendresse : l'aimer tout simplement. Il n'en fit rien. Il sentait qu'aujourd'hui elle n'était pas venue pour cela, qu'elle avait simplement besoin de tendresse.

Stephen s'assit au bord du canapé et, tout en gardant ses doigts à quelques centimètres de la peau de Camille, il suivit ses courbes avec lenteur et légèreté, comme un peintre qui esquisserait un modèle. À plusieurs reprises, il suspendit son geste, comme s'il voulait insister, marquer son empreinte à différents endroits : son front, ses lèvres, entre ses seins, le long de sa cuisse.

Tout à coup il sentit la main de Camille saisir la sienne. Il ne s'était pas rendu compte qu'elle s'était réveillée. Ses yeux étaient toujours fermés. Elle chuchota quelques mots.

— Viens près de moi, allonge-toi contre mon dos.

Stephen se glissa entre le dossier du canapé et le corps de Camille.

— Serre-moi, serre-moi fort, insista-t-elle en calant ses doigts à l'intérieur de ceux de Stephen.

Stephen s'étonna ; le comportement de Camille lui paraissait inhabituel. Même s'il se doutait que les événements récents et surtout l'obligation de faire un choix devant laquelle Richard avait mis sa femme en étaient la raison, il s'autorisa à lui demander :

— Ça va ? Tu as quelque chose à me dire ?

— Chut, ne dis rien, serre-moi. J'ai envie de sentir ta chaleur contre moi, juste ta chaleur.

Stephen ne bougea plus. Il pensait à la visite de Richard. Il allait lui falloir en discuter avec Camille, mais il n'osait pas. Lui en parler serait peut-être synonyme de la fin de leur amour. Camille lui avait toujours dit que Richard était parfaitement incapable de l'affronter, et pourtant, c'est ce qu'il avait fait. Il l'avait fait avec dignité, sincérité, prouvant les sentiments qu'il portait à sa femme.

Stephen savait qu'elle doutait, il ne voulait pas prendre le risque qu'elle abandonne le combat. Qu'elle se résigne à tenter d'oublier leurs fous rires sur la dune ou leurs courses folles au coucher du soleil le long du bassin sur la plage Pereire.

Il la sentit se serrer un peu plus fort contre lui. Ils restèrent ainsi blottis l'un contre l'autre pendant près d'une heure. Ils n'échangèrent que quelques mots, leurs regards ne se croisèrent pas.

Avant de partir, Camille retrouva un comportement plus habituel. Stephen lui avait transmis un peu de son énergie. Ils s'embrassèrent longuement et se dirent « À bientôt, à plus de toi ! » comme si...

Comme si tout était normal.

12
La croisée des chemins

Un jour, plusieurs routes s'offriront à toi.

Le regard perdu, tu hésiteras, laquelle choisiras-tu ?

Grimper la route des cimes, emprunter la piste s'enfonçant dans les bois, traverser la ville et ses ruelles sombres ou, une nouvelle fois, prendre le sentier que tu connais par cœur.

N'écoute pas ta raison qui, inlassablement, te mènera vers l'autoroute rectiligne et faussement apaisante.

Assieds-toi, écoute ta petite voix, laisse-la venir, colle-la à ton cœur, prends ton temps.

Alors jaillira ton vrai chemin, celui qui te guidera, confiant, vers l'éclat doré des champs de blé.

— Madame Mabrec ?
— Oui, elle-même !
— C'est le secrétariat du docteur Dumas. Ne quittez pas, je vous le passe.

— Bonjour, je souhaiterais vous parler. Je ne vous dérange pas ?

Elle comprit que cet appel n'augurait rien de bon. Le docteur Dumas la suivait depuis près de quinze ans et le ton de sa voix l'inquiétait.

— Oui, docteur… Je vous écoute.

— Peut-être pourriez-vous venir au cabinet ? À l'heure qui vous conviendra.

Camille lâcha le dossier qu'elle étudiait sur son canapé.

— Dites-moi. C'est au sujet des examens que j'ai passés ? C'est ça ?

— Oui, c'est…

Elle ne le laissa pas poursuivre.

— Des séquelles de l'accident, j'en étais sûre ! affirma-t-elle.

— Madame Mabrec, vous n'avez aucune séquelle de l'accident. Votre coma n'est plus qu'un mauvais souvenir, vos pertes de mémoire également.

— Je suppose que vous ne m'appelez pas juste pour m'annoncer ça ?

— Non, effectivement. Je viens de vous prendre un rendez-vous chez un confrère, le professeur Maloy. Il consulte à l'hôpital de la Pitié-Salpêtrière. Vous avez la possibilité de le voir demain matin à 9 heures. Vous pouvez vous y rendre ? Êtes-vous disponible ?

Camille savait que de très mauvaises nouvelles l'attendaient.

— Ai-je le choix ?

— On a toujours le choix, mais je vous conseille d'honorer le rendez-vous. Vous êtes sûre que vous ne désirez pas passer au cabinet ?

— Oui ! confirma-t-elle. Mais qu'y a-t-il ? Et qui est ce professeur ?

— Les analyses effectuées ainsi que le scanner ont révélé que vous étiez atteinte d'une forme de... pathologie rare : le cancer des glandes surrénales, qui pourrait être métastasé au niveau de l'un de vos reins. Le professeur Maloy exerce à l'unité d'oncologie de l'hôpital de la Pitié-Salpêtrière.

Un long, très long silence s'installa, puis Camille bafouilla :

— Ç'a le... mérite d'être clair... Mais je préfère finalement venir vous voir.

— Bien sûr, je vous attends.

Camille discuta près d'une heure avec son médecin. Elle l'interrogea sur les résultats et sur le doute qui pouvait persister quant à la validité du diagnostic.

— Et maintenant, que dois-je faire ?

— Le professeur Maloy vous expliquera tous les détails concernant votre pathologie, et le traitement à instaurer.

— Le... traitement...

— Oui, le protocole de soins que vous allez devoir suivre.

— Bien sûr, répondit-elle sur un ton désabusé.

Camille le salua, puis sortit du cabinet. La salle d'attente était comble. Elle s'excusa auprès des autres patients, et disparut dans le long couloir.

De retour à son domicile, tel un automate, elle reprit ses activités. Elle se replongea dans la lecture du dossier que lui avait confié Richard. Avec application, elle nota quelques remarques dans la marge avant de monter dans le bureau de son mari déposer l'épaisse chemise.

Quelques amies de Vanessa étaient venues passer l'après-midi avec elle. Camille les entendait rire à travers la baie vitrée. Elle sortit fumer une cigarette.

— Je peux, les filles ? demanda-t-elle.

Vanessa se retourna et découvrit le visage de sa mère. Elle ne put se retenir.

— Mais qu'est-ce qui se passe, maman ? Tu es transparente !

— Je suis simplement fatiguée, ma chérie, affirma-t-elle. Je ne fais que passer ; je vais fumer ma cigarette dans le jardin.

Alors qu'elle recrachait une longue bouffée, Camille se dit que le tabac était peut-être responsable de son état. Elle eut le réflexe de vouloir écraser sa cigarette, elle n'en fit rien. Elle pensa à Simon et à « ses drogues douces », cela la fit sourire.

« C'est peut-être la dernière, celle du condamné », se dit-elle. Elle s'appliqua à l'apprécier jusqu'à l'ultime gramme de tabac.

Elle s'assit sur le banc. Au loin, la brume de la pollution parisienne formait une sorte de cloche sur les monuments de la capitale. Camille sentit une forte angoisse monter en elle. Plus d'une heure après l'annonce du docteur Dumas, c'était seulement maintenant qu'elle prenait réellement conscience de la gravité de son état.

Elle se souvint des mots de son médecin : « cancer des glandes surrénales ». Elle n'avait jamais entendu parler de cette pathologie. Elle se saisit de son iPhone et fit quelques recherches. Elle consulta les sites de vulgarisation médicale et les forums ; les avis étaient tantôt alarmants, tantôt rassurants.

Tout se trouve sur le Net, sauf l'essentiel. Elle décida de ne plus perdre son temps à consulter des informations plus que douteuses. À quoi bon ? Elle connaîtrait tous les détails dès le lendemain matin. Les mains coincées entre les genoux, elle laissa son regard se perdre à l'horizon. Toujours cette angoisse qui ne faisait que s'amplifier... La peur prenait, peu à peu, la place de la surprise et de l'incrédulité.

Camille ressentait le besoin de parler, mais à qui ?

Vanessa, bien sûr que non ! Les enfants ne sont pas là pour régler les problèmes de leurs parents. Elle apprendrait bien assez tôt la nouvelle.

Sa mère ? À quoi bon... Elle lui expliquerait que sa maladie était peut-être génétique, car son père était décédé d'un cancer du poumon. Elle insisterait sur le fait qu'il fumait « comme un pompier » et que Camille aurait mieux fait de ne jamais toucher une cigarette.

Amélie, Sabine ? Elle y avait pensé. Mais pas encore, elle aurait tant besoin de leur soutien plus tard.

Stephen ? Certainement pas ! Même si elle avait envie d'entendre sa voix, elle ne l'appellerait pas. Elle ne souhaitait pas lui donner l'image d'une femme malade ; ce n'était pas compatible avec l'amour qu'ils vivaient. Leur relation ne pouvait être tournée que vers la vie.

Richard ? Évidemment, mais comment allait-il réagir ? Elle craignait que les tensions qu'ils vivaient dans leur couple ne soient trop intenses et qu'il ne trouve pas les ressources nécessaires pour l'aider dans une épreuve qui s'annonçait terrible. Elle ne lui en voudrait pas ; elle l'avait trahi, elle lui avait menti. Elle aimait un autre homme et c'était peut-être un juste retour des choses. Un peu comme si la vie équilibrait nos récompenses et nos punitions en fonction de nos décisions et de nos actes. « Tout se paie », pensa-t-elle.

Elle décida d'appeler sa « petite mère ».

Mathilde comprit que Camille n'avait surtout pas besoin d'une réaction dramatique et, à plusieurs reprises, prit sur elle pour ne pas craquer et fondre en larmes. Elle s'appliqua à faire parler Camille le plus possible pour qu'elle évacue cette angoisse qui l'étranglait. Chaque fois que la conversation déviait vers une inquiétude légitime, Mathilde parlait d'autres sujets tournés vers l'avenir : les enfants, l'espoir de les voir grandir, son métier d'avocate qui la passionnait, Arcachon, sa ville qu'elle aimait tant.

Elle lui conseilla d'appeler Richard et de tout lui dire. Même si elle ne connaissait pas les détails de l'aventure de Camille et Stephen, sa « petite mère » avait bien compris qu'elle vivait depuis plus d'un an les tourments d'une femme de quarante-cinq ans qui, lentement, voyait s'enfuir ses rêves et tentait de les retenir coûte que coûte. Mais Richard était son mari et, pour Mathilde, ils se devaient de traverser ensemble cette épreuve. Camille lui promit de la rappeler après son rendez-vous avec le professeur Maloy.

Elle appela Richard sur son portable personnel ; elle ne souhaitait pas subir le passage obligé par le poste de son assistante et le trop conventionnel : « Vous allez bien ? »

Il décrocha après deux sonneries.

— Oui ? dit-il.

Camille bafouilla. Elle tenta d'organiser ses idées sans y parvenir.

— Il faut... que je te parle... c'est le docteur Dumas. C'est... je ne sais pas... grave... non... je dois voir un professeur.

Richard, qui n'avait retenu que le mot « docteur », l'interrogea, inquiet.

— C'est Vanessa, ils doivent la réopérer, c'est ça ?

Cette fois-ci, la réponse de sa femme fut concise et parfaitement claire.

— Non ! Tout va bien pour Vanessa. C'est de moi qu'il s'agit. J'ai vu le docteur Dumas, les résultats de mes examens ne sont pas bons !

— Pas bons ? C'est-à-dire ? demanda Richard, affolé.

Camille ravala sa salive.

— C'est un cancer ! affirma-t-elle sans détour.

Un long silence s'installa avant que Richard ne réagisse :

— Tu es sûre ?

— Je ne suis sûre de rien, ce sont les médecins !

Richard se rendit compte de la bêtise de sa remarque.

— Évidemment. Désolé. Je rentre tout de suite.

— Merci, fit-elle.

— Je... j'arrive ! J'avertis mon assistante. Je suis là dans trente minutes.

Il raccrocha.

Camille fit part à Richard des propos du docteur Dumas. Elle aurait souhaité qu'il ne la harcèle pas de questions, mais c'est ce qu'il fit tout au long de la soirée.

Au fond, elle ne lui en voulait pas ; il s'inquiétait. Il était touchant dans l'expression brute de cette appréhension qui l'envahissait. Depuis son accident, Camille avait parfois découvert

226

un autre Richard dont elle n'avait jamais soup-
çonné l'existence.

D'abord, lorsqu'elle avait appris qu'il avait
osé tenir tête à sa mère pour permettre à
Maryse et Hubert de s'absenter des *Vieux
Tilleuls*. C'était la première fois qu'il imposait son avis à ses parents en provoquant une
confrontation directe.

Camille était également surprise par la façon
dont il appréhendait la crise que traversait leur
couple. Lorsqu'il avait appris qu'elle le trompait, sans doute après une réaction de dégoût
bien normale, il avait eu l'intelligence de comprendre que la source du problème n'était
pas uniquement l'égarement de sa femme. Un
malaise bien plus profond sommeillait, dans
lequel il avait, lui aussi, sans aucun doute, sa
part de responsabilité.

Camille dormit peu. Richard lui proposa de
prendre un somnifère, elle refusa. Elle imaginait que le temps lui était peut-être compté et
que quelques heures de plus à se sentir vivante
étaient une forme de victoire, de revanche sur
cette saloperie de maladie qui, dans quelques
mois, l'emporterait, peut-être, avec ses espoirs
et ses regrets.

Le rendez-vous avec le professeur Maloy
était fixé à 9 heures. Camille se leva tôt, vers
6 heures. Elle ne supportait plus de rester dans
le lit car son dos la faisait terriblement souffrir
lorsqu'elle restait immobile trop longtemps.

Elle déjeuna seule. Elle n'avait pas faim, mais se força à avaler une biscotte sur laquelle elle étala une fine couche de confiture d'abricots. Elle se servait son deuxième expresso lorsqu'elle entendit Richard descendre. Il lui adressa un sourire sincère et empreint de bienveillance. Il lui demanda si elle avait un peu dormi. Pour lui aussi, la nuit avait été courte, quelques heures tout au plus, malgré la prise de deux calmants. Le sommeil artificiel n'est pas le meilleur repos possible, mais au moins il permet de ne pas penser, c'est déjà ça !

Elle haussa les épaules comme pour lui signifier que, de toute façon, qu'elle ait dormi ou pas, quelle importance ? Cela n'influerait en rien sur l'entrevue capitale qu'elle allait subir dans quelques heures.

Il tenta de la rassurer. Contrairement à son habitude, il prit du temps et fit durer son petit déjeuner. Il lui proposa de l'accompagner, mais Camille refusa ; elle préférait être seule.

Richard lui fit promettre que, dès la sortie de la consultation, elle lui téléphonerait pour lui rapporter en détail toutes les informations que le professeur lui aurait sans doute données.

Lucas était parti passer quelques jours en Bretagne, chez les grands-parents d'un de ses copains. Le temps était exécrable. Chaque soir, il s'en plaignait lors de ses appels.

Il valait pourtant mieux qu'il supporte le temps breton plutôt que l'infinie tristesse qui régnait dans la maison de Saint-Rémy-lès-Chevreuse.

Vanessa se leva alors que son père venait de remonter à l'étage. Elle sortit de sa nouvelle chambre d'un pas lent, toujours équipée de ses béquilles. Camille vint l'aider et lui tint la porte.

— Eh bien, ma fille, que t'arrive-t-il ? Déjà levée ? demanda-t-elle, une pointe d'ironie dans la voix.

Vanessa s'approcha du comptoir de la cuisine, elle posa ses béquilles contre le muret et s'assit sur un des tabourets.

— Un bol de corn-flakes, comme d'habitude ? lui proposa Camille.

Vanessa hocha la tête en signe d'approbation. Elle ne quittait pas sa mère des yeux. Et la question que Camille redoutait ne tarda pas.

— Que se passe-t-il, maman ?

Le plus difficile lorsque la maladie nous touche, c'est bien sûr d'abord de supporter son annonce brutale, imprévue, injuste. C'est aussi, et parfois le plus pénible, protéger ses proches. À certains on peut dire la vérité, mais il est nécessaire de les consoler vu la peine qu'on leur fait, à d'autres il est impérieux de mentir en inventant n'importe quoi dans le seul but qu'ils ne sachent pas.

— Rien, ma fille, je suis complètement crevée ! Bon alors, ce plâtre ? C'est mieux depuis que tu ne l'as plus ? Fais bien attention de ne pas trop appuyer ton pied. Et ton attelle, tu la supportes ?

Vanessa insista.

— Maman, on s'en fout de mon plâtre ou de mon attelle ! On en a parlé dix fois déjà, tout va bien. Mais toi ?

— Ça va, je te dis, fit Camille en posant une main sur ses lombaires avant de se lever.

— Non, ça ne va pas, maman. Et puis c'est quoi, ce mal de dos que tu traînes ? C'est la première fois que ça t'arrive !

Camille plaisanta.

— Je vieillis, ma fille, je vieillis ! Allez, ça suffit, ton père va t'emmener chez le kiné ce matin. J'ai un rendez-vous imprévu… pour le travail.

— Tu as repris ? s'étonna Vanessa.

— Non, pas encore. Il s'agit d'un client pénible qui ne veut continuer de traiter son dossier qu'avec moi. Deux heures tout au plus. Au fait, tes copines viennent te voir aujourd'hui ?

Vanessa lui offrit le meilleur des sujets pour ne plus parler d'elle.

— Euh… pas mes copines.

— Le beau brun aux cheveux longs que j'ai à peine entrevu l'autre jour tellement il baisse la tête lorsqu'il aperçoit ta vieille mère ? Si je ne suis pas rentrée, soyez sages !

— On dirait une remarque de Lucas.

— J'ai l'impression que vous vous entendez bien, tous les deux ?

— Oui, il est gentil, assura Vanessa.

Camille se leva pour regagner sa chambre.

— Alors, il est le bienvenu ! Je prends une douche et je m'habille. Je redescends dans quinze minutes. J'ai envie que tu me maquilles. Tu es d'accord ?

— Yes, j'adore ! Je vais te faire… irrésistible.

— C'est sympa ! Aujourd'hui, je n'en ai pas forcément besoin, mais c'est quand même avec plaisir que je deviendrai… irrésistible.

Le professeur Maloy était un homme de grande taille à l'allure nonchalante. Sa calvitie prononcée sur le haut du crâne et ses cheveux longs frisés en dessous lui donnaient un air de savant un peu fou, contrastant avec les responsabilités qu'il occupait dans le service d'oncologie de l'hôpital de la Pitié-Salpêtrière.

Il était à peine 9 heures lorsqu'il s'avança dans le couloir menant à son bureau. Assise sur une des chaises longeant le mur, Camille leva la tête, puis se replongea dans le magazine qu'elle feuilletait pour faire passer le temps. D'une voix posée, il la salua tout en fouillant dans sa poche à la recherche de ses clefs. Malgré les deux énormes dossiers qu'il portait sous le bras, il réussit à faire tourner la clef dans la serrure et entra sans refermer la porte.

Camille sentit une angoisse de plus en plus forte monter en elle. Elle avait imaginé un homme à l'allure fière, sûr de lui. Apparemment, il n'en était rien et la peur de placer sa vie entre les mains de cet homme la plongeait dans une profonde inquiétude. L'idée de rebrousser chemin lui vint à l'esprit lorsqu'il sortit de son bureau. Il fit les quelques pas qui le séparaient d'elle et se présenta d'une voix calme, lui tendant une main ferme qu'elle serra avec retenue.

— Entrez madame, je vous en prie !

Elle prit place dans l'un des fauteuils réservés aux patients.

Il commença par évoquer un tas de sujets, excepté celui que Camille attendait avec appréhension.

D'abord impatiente et agacée de ne pas connaître tous les détails concernant sa maladie, Camille se surprit à se calmer peu à peu, comme bercée par la voix chaude du professeur.

— Madame Mabrec, je vais vous expliquer la pathologie dont vous souffrez et le protocole de traitement que je vous propose.

Camille acquiesça. Elle s'accrochait à son sac fermement serré contre elle comme à une bouée de sauvetage. Il le remarqua.

— N'hésitez pas à m'interrompre si quelque chose n'est pas clair et… si vous le pouvez, essayez de vous détendre.

Camille lui adressa un sourire de circonstance.

— Madame Mabrec, vous êtes atteinte d'une pathologie rare : le cancer des glandes surrénales. Ce sont des glandes qui sécrètent des hormones et qui se situent au-dessus de chaque rein. Dans votre cas, c'est à gauche que se trouve la tumeur. Les différents symptômes que vous ressentez sont le reflet de votre pathologie. Il s'agit d'un cancer qui se soigne avec des traitements classiques associés à une intervention chirurgicale dont le taux de guérison est tout à fait satisfaisant.

Camille, qui jusqu'ici n'avait pas réagi, se cabra en entendant le mot « intervention ».

— Une intervention ? C'est-à-dire ? demanda-t-elle d'une voix inquiète.

— Eh bien, à un stade moins avancé, le traitement est d'abord chirurgical pour retirer la glande malade. Puis, une radiothérapie s'impose, pour éliminer les dernières cellules cancéreuses.

— Dans mon cas, cela ne va pas se passer de cette façon ?

— Non madame, vous l'avez bien compris. Nous allons d'abord instaurer une cure très agressive de chimiothérapie afin de réduire au maximum la taille de la tumeur pour décider si nous pouvons intervenir.

Camille se raidit ; elle venait de comprendre que la partie était loin, très loin d'être gagnée.

— Et si la chimio ne fait pas diminuer la tumeur ?

— Je ne vais pas vous mentir ; il s'agit de ma principale crainte.

— Docteur, je vais vous demander d'être franc !

— Bien sûr, je le serai.

Camille déglutit à plusieurs reprises, la voix tremblante elle demanda :

— J'ai combien de chances de m'en sortir ?

— Chaque cas est spécifique, mais pour vous répondre je ne peux que vous citer des statistiques générales : pour un cancer localisé à la glande, le taux moyen est de près de deux tiers de guérison. Nous avons donc beaucoup d'espoir ! s'empressa-t-il de préciser.

Camille n'avait jamais quantifié sa vie. Le professeur venait de le faire : deux tiers ! C'est effrayant de donner un chiffre sur ses chances de survie.

— « Beaucoup d'espoir », dites-vous ! D'après vos chiffres, j'ai presque autant de chances de mourir que de vivre !

— Madame Mabrec, il ne faut pas réagir de la sorte. Nous allons faire le maximum…

Camille ne l'écoutait déjà plus. Elle perçut, comme dans un brouillard, la longue liste des effets secondaires qu'elle allait devoir supporter. Elle ne serait plus la même, son corps allait se dégrader. La fatigue serait si intense qu'elle ne pourrait plus mener une vie normale.

— Et si je refuse le traitement, combien de temps ?

— Madame, je suis médecin et je ne réagis pas de cette façon !

— Combien ? insista-t-elle.

Le visage du professeur se crispa.

— Six mois d'une vie à peu près normale.

— Je dispose d'un délai pour vous donner ma réponse ?

— Écoutez, vous êtes jeune, vous avez de belles années devant vous. Je vous en conjure, prenez la bonne décision.

— Je ne sais pas... Je vous rappelle dans une semaine tout au plus. J'ai besoin de réfléchir.

— Très bien, j'attends sans tarder votre appel.

Le professeur salua chaleureusement Camille. Il posa longuement sa main sur la sienne.

Camille ne savait que faire : accepter le protocole que proposait le professeur, et voir son corps et ses capacités se dégrader pour un résultat qui conduirait peut-être à l'échec ? Refuser le traitement et profiter de ces quelques mois où elle jouirait de chaque instant ?

Elle savait déjà que Richard lui conseillerait de se « battre ». L'expression la fit sourire ; comment peut-on « se battre » contre un ennemi qui possède presque toutes les cartes en main ? A-t-on le droit de laisser espérer ses proches sans aucune garantie de guérison ? A-t-on le droit de laisser à ceux que l'on aime l'image d'une lente dégradation ?

Comme convenu, Camille téléphona à Richard et lui rapporta le discours du professeur Maloy. Elle n'omit aucun détail concernant le traitement, ses chances de survie et les multiples effets secondaires que ne manquerait pas de provoquer l'agressivité du protocole de soins.

Richard l'assura de tout son soutien, lui promit qu'il serait là à chaque étape du long chemin vers la guérison. Il avait déjà prévu qu'ils parleraient à Vanessa et Lucas le soir même, ce que Camille refusa catégoriquement.

— Non, Richard !

— Comment ça, non ? Demain alors ?

— Ni ce soir ni demain. C'est à moi de décider quand ils doivent savoir ! assura Camille.

— Mais enfin, tu leur dois la vérité !

— Nous en parlerons ce soir. Je dois faire le tri dans mes idées ; tout cela est tellement soudain.

— Tu ne veux pas passer au bureau ? Nous pourrions déjeuner ensemble, qu'en penses-tu ? proposa Richard.

Camille déclina poliment l'invitation ; elle n'avait qu'une envie : rester seule.

— Merci, mais... il me faut vraiment un peu de calme pour réfléchir à tout ça...

Richard accepta, contraint, la décision de sa femme.

— Très bien, à ce soir alors ! N'hésite pas à m'appeler si tu as besoin de quoi que ce soit.

Camille déambula, sans but précis, dans les rues de Paris. Marcher l'aidait à évacuer une partie de tout ce stress qu'elle avait tant de mal à canaliser. Vers 15 heures, elle regagna son domicile.

Après une longue réflexion, elle décida que, dès le lendemain, elle se rendrait pour quelques jours à Arcachon. C'était le seul endroit où elle se sentait capable de faire un choix qu'elle assumerait, quels que soient les événements futurs.

Richard eut du mal à comprendre l'idée du séjour à Arcachon ; pour lui, c'était du temps perdu contre la maladie. Mais devant la détermination de sa femme, et après une conversation animée où il eut bien du mal à ne pas trop manifester sa désapprobation, il abdiqua. Elle lui assura qu'il ne s'agissait que de cinq ou six jours, tout au plus, et que cela ne changerait rien à ses chances de guérison.

Elle décida de ne pas mettre ses enfants dans la confidence, du moins pas pour l'instant. Pour justifier son voyage, elle prétendit que sa mère avait besoin d'elle pour régler des affaires de famille.

Boussara accepta d'augmenter son nombre d'heures de présence jusqu'à ce qu'elle revienne. Richard commencerait plus tard le matin et rentrerait vers 18 heures le soir.

Après dîner, chacun retourna à ses occupations. Richard monta relire un dossier, une fois de plus urgent. Vanessa s'enferma dans sa chambre. François... évidemment.

Camille en profita pour réserver ses billets de train ainsi que quatre nuits dans un hôtel face à la plage Pereire. Elle ne séjournerait pas chez sa mère, elle n'avait d'ailleurs aucune intention de lui rendre visite.

Elle téléphona à Mathilde comme elle le lui avait promis. Contrairement à leur habitude, les deux femmes échangèrent peu ; Mathilde comprit que Camille avait besoin d'être seule. Elle ne dit rien pour influencer sa décision, même si, au fond, elle n'espérait qu'une chose : qu'elle accepte le protocole de soins.

Le centre d'Arcachon était encore animé en cette fin d'après-midi. Les touristes profitaient des dernières semaines de vacances avant la ruée du retour.

Camille sortit de la gare. Elle longea l'avenue Gambetta et ses boutiques en direction de la jetée Thiers, où étaient amarrés les bateaux proposant aux promeneurs différentes excursions sur le bassin. Les drapeaux aux couleurs de la ville flottaient à l'entrée de la jetée. Elle traversa la place et se dirigea vers le ponton qui s'avançait dans les premières eaux du bassin. La marée montait et l'on pouvait entendre claquer les vagues sur les poteaux soutenant la plate-forme en bout de jetée. Quelques photographes amateurs mitraillaient les amas de moules et d'huîtres accrochés aux rondins de bois. Camille s'appuya sur la balustrade, le regard face à l'île aux Oiseaux et ses cabanes tchanquées.

Elle ferma les yeux et inspira profondément. Elle pouvait sentir les embruns salés caresser son visage. Elle regardait les navettes déposer les touristes. Elle entendait les cris des enfants s'amusant à construire sur la plage d'éphémères châteaux de sable que la marée montante allait bientôt engloutir.

À chacun de ses séjours, elle se posait la même question : pourquoi avait-elle quitté sa ville ? Comment avait-elle pu croire, il y a près de trente ans, que les études de droit à Paris étaient le seul choix possible ? Comment avait-elle pu imaginer que le bonheur existait ailleurs... ?

Elle revint vers le quartier de la gare et récupéra la voiture de location qu'elle avait réservée. Elle s'engagea sur le boulevard de l'Océan en direction du quartier des Abatilles. L'hôtel entouré de pins maritimes et de lauriers faisait face à l'entrée de l'immense plage Pereire.

Camille s'installa dans sa chambre. Elle s'allongea sur le lit et rédigea un SMS à l'attention de Richard pour le prévenir de son arrivée.

Elle tenta d'appeler sa « petite mère », juste pour entendre sa voix, mais ni Mathilde ni Hubert ne répondirent. Sans doute étaient-ils occupés à leurs tâches quotidiennes imposées par l'implacable Maryse. Elle n'insista pas et leur laissa un message vocal pour leur dire qu'elle pensait à eux.

L'hésitation et le départ de Camille pouvaient paraître égoïstes. Elle en était parfaitement consciente.

En tant qu'épouse et mère, elle n'avait pas le droit de ne pas se battre et il était inconcevable qu'elle ne se donne pas toutes les chances de voir grandir Vanessa et Lucas.

Elle savait également que pour Mathilde et Hubert elle se devait de ne pas se poser de questions ; ils avaient tant fait pour elle ! Hubert représentait le père qu'elle aimait tant et qui avait disparu bien trop tôt, Mathilde la mère qu'elle n'avait jamais eue et qu'elle n'aurait jamais.

Quant à tous les autres : les amies, les connaissances, la belle-famille, elle ne voulait pas les encombrer inutilement avec ses problèmes. De toute façon, ils n'influeraient d'aucune façon sur son choix.

Tout la conduisait à ne pas réfléchir et à foncer vers le traitement afin de continuer à mordre dans cette vie qui pouvait, à tout instant, se refuser à elle.

La seule raison qui l'empêchait de prendre la décision qui naturellement s'imposait, c'était Stephen ! Si elle acceptait le traitement, leurs sentiments n'y résisteraient pas. Parce que leur histoire était une histoire de jeunesse, de beauté, de désir et de joie. Elle ne la voyait pas s'épanouir dans la maladie et les effets indésirables du traitement. Camille ne souhaitait pas non plus lui proposer une relation où elle culpabiliserait au moindre doute en se disant qu'elle ne pouvait plus lui offrir toute cette force qui les animait depuis tant de temps et qu'il était en droit d'attendre.

Camille savait qu'elle avait la possibilité de ne rien avouer à Stephen et de continuer, pendant cinq ou six mois, à vivre cette passion avec cet homme qui l'aimait depuis près de trente ans. Dans ce cas, la seule issue, c'était de refuser le traitement et de croquer l'existence à pleines dents sans se soucier de la réaction de ses proches jusqu'à ce que la maladie ne lui laisse plus le choix.

Elle disposait de quelques jours pour choisir. Elle savait qu'elle ne pourrait pas tout préserver : soit la raison l'emporterait, soit ce serait la passion ! Les compromis et les demi-mesures étaient impossibles.

Camille profita de sa première soirée pour se promener sur la plage. Elle acheta un sandwich et une canette de soda dans un des snacks en bord de plage ; elle n'avait pas envie de passer trop de temps au restaurant.

Elle marcha longuement jusqu'à la tombée de la nuit, puis elle s'assit sur le sable face au phare du Cap-Ferret. Les derniers bateaux rentraient dans le bassin par les passes du banc d'Arguin en direction du port d'Arcachon. Elle observa le lent ballet de voiliers, de catamarans et de hors-bord qui s'étirait face à elle. Elle vit scintiller les lumières de la presqu'île du Cap-Ferret jusqu'à près de minuit. Au loin, vers le Moulleau, un groupe de jeunes s'installaient sur la plage. Ils passeraient la nuit autour d'un feu de camp improvisé à boire, discuter et chanter. « À vivre tout simplement », se dit-elle. Deux minuscules tentes leur serviraient d'abri pour quelques heures de sommeil. Au petit matin, ils seraient réveillés par les engins nettoyant quotidiennement les kilomètres de plage.

Elle se souvint qu'à leur âge, elle aussi passait de nombreuses soirées avec ses amis sur cette même plage. Les choses les plus simples traversent naturellement les générations.

Il était plus de minuit, la fraîcheur de la brise océanique la faisait grelotter. Elle se leva et se dirigea vers son hôtel ; ses paupières commençaient à devenir lourdes. Malgré les conseils appuyés du professeur Maloy, Camille ne prit pas de somnifère pour trouver le sommeil. Elle se démaquilla rapidement, retira sa robe et se glissa sous la couette. Son corps se réchauffait peu à peu. Avant d'éteindre la lumière, elle regarda son portable qu'elle avait laissé dans la chambre durant sa promenade. Deux notifications de message apparurent sur l'écran. D'abord Vanessa qui lui souhaitait une bonne nuit et lui demandait de faire la bise à sa grand-mère... Malgré l'heure tardive, Camille répondit à sa fille... qu'elle n'y manquerait pas, que tout se passait bien avec sa... grand-mère et qu'elle espérait que sa séance de kiné s'était bien déroulée.

Le second message était de Stephen. Il avait pris l'habitude de lui envoyer un peu plus de SMS qu'à l'accoutumée, simplement pour lui dire qu'il pensait à elle et qu'elle lui manquait. Camille y répondait systématiquement, mais ce soir, dans la nuit arcachonnaise, elle n'en fit rien. Elle caressa l'écran du bout de son index et bascula en mode silencieux. Elle posa son Smartphone sur la table de nuit, éteignit la lampe de chevet, trouva rapidement une position confortable, puis s'endormit.

Le lendemain matin, elle ouvrit les yeux à 8 heures sans qu'aucun réveil nocturne ne soit venu perturber son sommeil. Elle s'étira longuement, resta un quart d'heure encore sous la couette et se leva. Après une douche rapide, elle descendit prendre son petit déjeuner : elle avait faim.

Le buffet proposé par l'hôtel avait, en cette période de vacances, l'objectif de satisfaire toutes les nationalités. Elle prit d'abord ses habituelles tranches de pain grillé, mais elle s'autorisa avec plaisir des œufs brouillés au bacon, et une salade de fruits. Elle termina, comme toujours, par un second expresso, puis elle passa prendre ses affaires dans sa chambre avant de se diriger pour la journée vers la dune du Pilat.

Elle gara sa voiture sur un des immenses parkings situés en bas de la dune. Elle prit soin de vérifier le contenu de son sac à dos ; même si elle connaissait cette randonnée par cœur, elle devait, vu son état qui commençait à se dégrader, faire attention de ne rien oublier au cas où elle manquerait des forces nécessaires.

Camille accéda à la dune par la plage de la Corniche ; elle souhaitait marcher le long de l'Océan jusqu'à l'extrémité sud de la dune. Elle apprécia, avec toujours autant d'émerveillement, la beauté du banc d'Arguin où, à marée basse, on peut voir les ostréiculteurs travailler dans leurs parcs à huîtres. Du côté sud, la pente étant plus douce, elle grimpa jusqu'au sommet de la dune, s'autorisant des haltes régulières. Puis elle longea la crête jusqu'à la pointe Nord, là où arrivent les amas de touristes qui ont gravi avec plus ou moins de difficulté l'escalier installé côté forêt.

Camille s'arrêta dans un endroit calme face à l'Océan. Assise dans le sable, elle souhaitait simplement profiter, peut-être une dernière fois, de ce paysage unique.

Désormais, sa décision était prise, les deux heures trente de réflexion que lui avait offertes sa randonnée l'avaient confortée dans son idée première, celle à laquelle elle avait pensé dès qu'elle avait eu connaissance du diagnostic de sa maladie. Elle voulait être sûre de son choix et Arcachon, son pays, lui avait procuré la sérénité nécessaire pour prendre une décision définitive. Il ne lui restait plus qu'à assumer ce terrible choix !

Avant de retrouver la chaleur étouffante des forêts de pins, Camille s'amusa, telle une enfant, à effectuer une descente rapide les mollets à moitié ensevelis dans le sable.

Une fois arrivée en bas, elle fit quelques pas et s'installa sur une souche de pin. Elle se frotta les pieds pour les débarrasser du sable qui s'y était collé et rechaussa ses Stan Smith.

Elle jeta un dernier regard au sommet de la dune. Le soleil tapait fort sur le sable clair. Il se dégageait des ondes de chaleur qui se mélangeaient au bleu du ciel. Camille appuya ses coudes sur ses genoux et son menton sur ses paumes.

« Est-ce la dernière fois ? », se demanda-t-elle. Elle se leva pour emprunter le large chemin conduisant aux parkings situés en contrebas. Mais très vite elle ne put se retenir et, une nouvelle fois, fixa le sommet de « sa » dune, celle qui l'avait vue grandir, celle où Stephen lui avait fait la plus belle des promesses : l'éternité !

Le dernier soir, elle revint une ultime fois passer un long moment sur la plage Pereire. Le temps était maussade et, cette fois-ci, aucun groupe de jeunes ne l'accompagna dans sa réflexion solitaire. Il faisait frais ; la brise d'ouest avait forci tout au long de la journée, faisant claquer les cordes des mâts des voiliers. Camille posa sa veste sur ses épaules.

Elle ne regagna sa chambre qu'à 2 heures du matin. Dans quelques heures, elle serait à Paris.

13

L'instant précis

La seconde où tout bascule : l'instant précis où le choix que l'on pensait ne jamais pouvoir assumer s'impose à nous avec une facilité presque angoissante.

Qui n'a jamais connu ce moment où, malgré les années que l'on passe à réfléchir, organiser, maîtriser, plus rien ne compte ?

Les cartes du jeu de notre vie s'envolent entre nos doigts bien trop fragiles pour les retenir.

Cet instant précis où nous saisissons et abattons notre dernière carte : toujours un as !

Il ne reste plus qu'à découvrir sa couleur, plus tard, bien plus tard...

Il était près de midi, le TGV en provenance de Bordeaux Saint-Jean venait de s'immobiliser sur un des quais de la gare Montparnasse, Camille descendit de la voiture n° 13. Un homme d'un certain âge, ayant remarqué son teint fatigué et ses yeux creusés, l'aida à descendre sa valise. D'un geste de la main, elle le remercia.

Les haut-parleurs de la gare annonçaient vingt minutes de retard avec les excuses habituelles de la SNCF que plus personne n'écoutait. Les passagers, tête baissée, traînant leurs bagages et, préoccupés par leurs obligations respectives, n'échangèrent que quelques expressions convenues : « Comme d'habitude », « De toute façon, avec la SNCF... » Puis, chacun s'empressa d'aller s'engouffrer dans les couloirs du métro, héler le premier taxi disponible ou simplement retrouver celui ou celle qui l'attendait au bout du quai.

Personne n'attendait Camille. Elle n'avait prévenu ni son mari ni ses amies de son retour à Paris.

Au cours de son séjour à Arcachon, elle avait fait son choix, ou plus exactement ses choix.

Dans à peine deux heures, elle serait dans le bureau du professeur Maloy. Elle lui annoncerait qu'elle avait décidé de se battre, de faire confiance à la médecine et à ce brin de chance qui peut faire basculer le destin du bon côté.

Pendant ses promenades sur la plage et ses longues soirées solitaires, Camille se l'était maintes fois demandé : s'agissait-il du moment le plus important de sa vie ?

La naissance de Vanessa puis de Lucas n'était-elle pas, pour une femme, l'accomplissement de son existence ? Sa réussite professionnelle

248

ne représentait-elle pas le marqueur d'une volonté sans faille ? Richard, Mathilde et Hubert ne lui avaient-ils pas apporté cette stabilité qu'elle avait recherchée si longtemps à cause d'un père décédé trop vite et d'une mère absente ? L'amour déraisonnable et sans limites qu'elle portait à Stephen n'était-il pas la plus belle chose qui lui était arrivée ?

C'était un peu tout ça à la fois !

Si elle avait renoncé et refusé le traitement, alors une forme de culpabilité envers tous ceux qui l'avaient accompagnée l'aurait envahie. Elle se disait que vu les innombrables instants de bonheur qu'elle avait pu vivre avec chacun d'entre eux, ses enfants, Richard, sa « petite mère », son « petit père », ses amies et... Stephen, elle n'avait pas le droit d'abdiquer. Pour elle, bien sûr, mais aussi pour eux.

Camille avait pris deux décisions. D'abord celle de se faire soigner malgré les chances limitées de guérison. Elle connaissait les effets secondaires du traitement, ils étaient terribles et dévastateurs, mais c'était le prix à payer. Cette décision, curieusement, avait été la plus facile à prendre.

La seconde, en revanche, était sans aucun doute la plus difficile à assumer, une décision épouvantable !

Elle allait annoncer à Stephen qu'elle ne le verrait plus. Non qu'elle mette un terme à leur amour ; elle en était incapable. C'était justement parce que ce qui les unissait était bien trop fort qu'elle avait décidé qu'ils ne se reverraient plus, plus jamais.

Camille savait qu'elle n'était pas maîtresse de sa survie. Par contre, ce qu'elle maîtrisait parfaitement, c'était la survie de l'amour qu'elle vivait avec cet homme qui, un jour, avait griffonné « *Seulement si tu en as envie...* » sur un Post-it et bouleversé à jamais son existence.

Camille avait le pouvoir de sauver ce lien unique des griffes des aléas de la vie et d'éviter de le voir se distendre peu à peu. Sa décision était irrévocable. Qu'elle gagne ou qu'elle perde la bataille, ce dont elle était sûre, c'était que leur amour, lui, survivrait !

Un amour, ça n'attrape pas une saloperie de maladie qui le bouffe de l'intérieur sans qu'on puisse rien y faire. Non, il y a toujours une solution et c'est à chacun de nous de décider de sa survie, de sa lente agonie ou de sa mort.

Bien sûr, les bras de Stephen lui manqueraient ! Bien sûr, leurs étreintes ne seraient plus que de magnifiques souvenirs ! Bien sûr, la voix de Stephen ne réchaufferait plus ses moments de tristesse ! Bien sûr, *Des mots et des maux* ne s'afficherait plus sur l'écran de son portable. Bien sûr... Camille savait tout cela !

Elle était parfaitement consciente de la gravité et des conséquences de son choix. Mais elle savait aussi que sa décision était la seule qu'elle devait prendre, car leur amour, au-delà de sa vie, de leurs vies, lui, était désormais immortel.

Le professeur Maloy l'invita à pénétrer dans son bureau.

— Madame Mabrec, je vous en prie, entrez !

Camille s'assit face à lui et posa son sac. Le professeur avait les traits tirés ; il venait de terminer une opération difficile.

— Je suis désolé ; je vous ai fait attendre. Une urgence, comme souvent, fit-il d'un ton désabusé.

Camille haussa les épaules ; quelle importance pouvaient avoir vingt minutes, désormais...

Le professeur reprit :

— Vous avez donc souhaité me voir ? J'espère que vous avez... de bonnes nouvelles à m'annoncer.

— Je ne sais pas si c'est la meilleure solution, mais c'est celle que vous espériez, précisa-t-elle.

Il se leva et vint s'asseoir sur le bureau tout près d'elle.

— Madame Mabrec... Camille, si vous le permettez ; nous allons passer du temps ensemble.

— Oui, répondit-elle simplement.

— Vous avez pris la bonne décision, je vous assure !

— Et si...

Il lui coupa la parole ; il savait ce qu'elle allait dire.

— Et si... Attendez un instant.

Il se dirigea vers la fenêtre et invita Camille à le rejoindre. De son bureau du cinquième étage, on pouvait voir distinctement l'intense circulation sur le boulevard.

— Regardez !

Camille ne comprenait pas où il voulait en venir, elle s'approcha.

— Vous voyez ce carrefour avec ce fourmillement incessant de véhicules ?

— Oui, bien sûr, confirma-t-elle, toujours dans l'attente d'une explication plus précise.

— Eh bien, hier soir, alors que je me dirigeais vers le parking pour enfin rentrer chez moi après une journée harassante, j'ai entendu un choc et des hurlements qui provenaient du trottoir d'en face. Un camion de livraison venait de percuter deux enfants. J'ai traversé le boulevard aussi vite que possible. Les urgences sont arrivées rapidement sur place, mais il était déjà trop tard.

Il se tut un instant et lâcha le rideau métallique de la fenêtre. Il regagna son bureau. Camille ne savait quoi dire.

— Je suis désolée, ce doit être... difficile.

Le professeur fixa Camille. Ses yeux noirs et ses cheveux longs grisonnants, presque blancs, donnaient à son regard une intensité particulière.

— Ils avaient douze et quatorze ans. J'ai appris plus tard qu'ils se rendaient au cinéma et que leur mère venait de les déposer. Ils n'ont pas eu le temps de se dire... « et si » !

Camille balbutia une réponse.

— Oui, bien sûr...

— Et si... ils avaient eu la possibilité de faire ralentir le camion, et si... le chauffeur n'avait pas été en retard, et si... Vous, madame Mabrec, vous avez la possibilité de poser des mots après le « et si ». Alors oui, je vous l'assure, vous avez pris la seule décision possible !

— Je l'espère, fit-elle.

— Je serai présent à vos côtés tout au long du protocole de soins, n'ayez crainte. Quand voulez-vous commencer ?

— Mon choix est irrévocable, alors pourquoi attendre ?

Le professeur Maloy hocha la tête en signe d'approbation. Il prit son téléphone et appela l'infirmière responsable du calendrier des protocoles de soins.

— Bonjour, dossier 257-42, Camille Mabrec. Donnez-moi une date, s'il vous plaît !

Le combiné à l'oreille, il attendait la réponse. Il regardait Camille en souriant.

— Très bien, dit-il, l'air satisfait, avant de raccrocher.

— Alors docteur, quand ? demanda-t-elle, impatiente.

Il jeta un regard rapide à la pendule.

— Nous sommes mardi après-midi, je vous attends dans moins de quarante-huit heures. Jeudi matin à 10 heures.

Même si Camille savait qu'il ne fallait pas tarder pour débuter le traitement, l'annonce du professeur l'avait surprise. Elle avait à peine deux jours pour prévenir sa famille, ses proches et Stephen de sa décision.

Elle remercia le professeur et ne s'attarda pas dans les couloirs de l'hôpital. Elle avait besoin d'air pur. Elle savait que dans moins de deux jours elle commencerait à passer la plupart de son temps entre les longues séances de chimiothérapie, les périodes de malaises et de nausées.

Elle eut envie de rester seule encore un moment, un dernier instant de solitude avant les justifications et les discours de compassion dont elle savait déjà qu'elle aurait un peu de mal à les supporter.

Assise à la terrasse d'une brasserie à quelques pas de l'entrée de l'hôpital, Camille commande un thé, et imagine aisément comment va se dérouler le reste de sa journée.

Dans quelques minutes, elle se dirigera vers le cabinet d'avocats. Elle entrera et saluera rapidement les membres du personnel. Richard les aura déjà prévenus de sa maladie. Chacun, à sa façon, lui fera part de « toute son amitié ». Peut-être discutera-t-elle un peu avec Claudia, son assistante.

Elle expliquera à son mari qu'elle a pris sa décision, celle qu'il lui a toujours recommandée. Elle sait déjà qu'il quittera son bureau pour la conduire à leur domicile.

Arrivée à Saint-Rémy, elle retrouvera Boussara et ses enfants, Vanessa et Lucas. Ils lui sauteront dans les bras, sans doute quelques larmes couleront-elles...

Elle prendra le temps d'expliquer à chacun d'eux qu'elle les aime, qu'elle peut guérir, que « maman sera fatiguée pendant quelques semaines », mais que dans trois ou quatre mois tout redeviendra comme avant.

Bien évidemment, elle n'évoquera pas la possibilité que le traitement soit un échec. Lucas sera rassuré ; à son âge la parole d'une mère est forcément l'expression de la vérité. Pourquoi mentirait-elle ? Alors son fils se replongera dans ses jeux vidéo et dans ses premiers SMS ; il grandit.

Avec Vanessa, son discours sera différent. Elles évoqueront la jambe toute neuve de sa fille. La rééducation est une magnifique réussite ; Vanessa ne ressent que quelques douleurs diffuses qui s'atténuent peu à peu. La jeune fille fera part à sa mère de son désir de commencer à prendre des cours d'équitation dès que le médecin aura donné son accord, car un certain François lui a transmis sa passion.

Camille remarquera le ton différent de Vanessa, plus posé, plus adulte, lorsqu'elle évoquera ce jeune homme aux cheveux bruns. Elle sourira, Vanessa aura l'air troublée, elle baissera la tête. Camille, à l'aide de son index, lui relèvera le menton. Elle lui dira simplement : « Sois fière, ma fille, n'aie pas honte d'aimer ce garçon. Vous êtes amoureux ? C'est ça, tu l'aimes ? » Vanessa lui répondra d'un simple : « Oui. » Alors Camille fermera les yeux et serrera fort sa fille dans ses bras. Elle souhaitera que le temps d'une année de lycée, d'un été, d'un mois ou d'une... elle n'osera pas prononcer le mot, il sache rendre sa fille heureuse.

Vanessa comprendra que la maladie de sa mère est grave, que le traitement et ses conséquences seront lourds, que sa convalescence sera longue. Mais au fond d'elle, elle ne pourra pas imaginer que sa mère puisse disparaître alors qu'elle n'a que dix-sept ans. Vanessa fera le parallèle entre sa jambe cassée lors de l'accident et le cancer qui dévore Camille. Elle lui assurera : « Tu vois, c'est possible, je suis presque complètement rétablie. » Alors, elles se feront un clin d'œil et la conversation s'arrêtera là. La pudeur et la peur seront leurs compagnes. Avec l'égoïsme touchant d'une fin d'adolescence, Vanessa pensera que sa mère fera tous les efforts pour continuer à l'aider sur le chemin vers sa vie d'adulte.

Puis, Camille redescendra au rez-de-chaussée. Boussara, avec sa déferlante sincérité, ne pourra pas se retenir et s'effondrera en larmes dans ses bras. Elle ne lui en voudra pas. Boussara se reprendra rapidement et plaisantera sur son comportement toujours un peu trop démonstratif.

La famille se retrouvera alors dans une ambiance faussement apaisée. Richard fera l'effort de beaucoup parler pour meubler les lourds moments de silence. Il prendra en main l'organisation des obligations domestiques et assurera à sa femme qu'elle n'aura qu'à s'occuper d'elle !

Richard sera sincère. Camille éprouvera un profond sentiment de culpabilité envers ce mari qui partage sa vie depuis plus de vingt ans et qui lui a prouvé tout son attachement, malgré l'aventure qu'elle a vécue et qu'elle vit encore avec Stephen.

Camille se sentira sale et honteuse. Elle aura avec une parfaite insouciance trompé cet homme, le père de ses enfants qui, même s'il n'a jamais su le lui démontrer comme elle l'aurait souhaité, l'aime profondément. Il l'aime dans la rassurante banalité des habitudes, comme on aime après vingt ans de vie commune : sans passion, mais avec sincérité.

Camille appela un taxi et avala la dernière gorgée de son thé déjà froid. Après quinze minutes de slalom nerveux dans la circulation, le conducteur la déposa devant l'immeuble de Mabrec et Loubin avocats associés.

Dès que Claudia l'aperçut, elle se dirigea vers elle pour l'embrasser. Elles ne parlèrent pas de sa maladie, à quoi bon ? Cela n'aurait servi à rien ! Le silence est parfois la meilleure des conversations. Tout le monde sait et personne ne dit rien, c'est mieux ainsi !

Camille salua, un à un, tous les collaborateurs du cabinet – quelques mots polis rapidement échangés – avant de se rendre dans le bureau de son mari.

Elle poussa doucement la lourde porte. Richard l'invita à entrer, sa voix était posée.

— Ah ! Camille. Je t'attendais.

Elle pénétra dans le bureau comme une écolière prise en faute, fit quelques pas et n'osa pas regarder son mari dans les yeux.

— Approche. Comment vas-tu ? Tu aurais pu m'avertir de ton arrivée. Tu dois être fatiguée.

Camille ne bougeait toujours pas. Richard se leva et vint se mettre tout près d'elle, leurs corps à quelques centimètres l'un de l'autre. Peu à peu, les bras de Richard se levèrent et ses doigts s'ouvrirent. Il enlaça sa femme et la serra avec force. Camille pouvait sentir les tremblements de son mari. Elle posa la main sur sa taille. Depuis combien d'années ne s'étaient-ils pas retrouvés dans une forme d'union si sincère ? Des sanglots se mêlèrent aux mots de Richard.

— Camille, je t'ai toujours aimée, je ne veux pas te perdre. Tout ce que j'ai construit au cabinet, ces années passées à travailler plus que de raison, c'était pour toi, pour les enfants, pour que votre vie soit le plus facile possible.

Camille ne répondit pas tout de suite ; la sincérité de son mari la touchait. Cela faisait des années qu'il ne lui avait pas parlé avec une telle tendresse, un tel abandon de ce carcan de rigidité qu'il traînait depuis l'enfance.

— Richard... Je...

Elle ne savait quoi dire. Il poursuivit :

— Sache que je resterai à tes côtés. N'en doute jamais.

— Merci...

Richard desserra lentement son étreinte et reprit la conversation sur un ton plus habituel.

— Viens donc t'asseoir, lui proposa-t-il en l'invitant à se diriger vers un des fauteuils qui se trouvaient autour de la table de réunion... Maintenant, dis-moi : comment vas-tu ?

Camille ne souhaitait pas se répandre en longues explications.

— Je commence le traitement jeudi matin.

Les yeux baissés, elle ne pouvait voir le visage de Richard qui exprimait un profond soulagement. Il répondit simplement :

— Tu as eu raison, c'était la seule décision à prendre !

— Peut-être.

Richard lui demanda cinq minutes pour boucler son dossier et rentrer à la maison avec elle. Elle en profita pour s'imprégner, peut-être une dernière fois, des odeurs de bois et de cuir de son bureau. Comme d'habitude, les cinq minutes se transformèrent en près d'une demi-heure. Qu'importe, Camille avait tout son temps. Elle appela son assistante qui, ne sachant quoi dire, resta plantée devant elle.

— Asseyez-vous donc, lui proposa-t-elle.

Claudia, toujours muette, lissa l'arrière de sa jupe avant de s'asseoir face à sa patronne.

— Ça va ? demanda Camille.

Hésitante, Claudia balbutia quelques mots.

— Oui… votre remplaçant… enfin… il étudie les dossiers en cours. Et puis, il est sérieux… Un peu perdu parfois…

Camille l'interrompit.

— Il vient souvent vous questionner ?

— Oui !

— Et vous le rassurez ?

— Oui… enfin, je crois, hésita-t-elle.

— Mais vous ? Ça va ?

— Votre absence se fait sentir. On s'organise !

— J'en suis persuadée, mais ce n'est pas de ça que je vous parle.

— Et de quoi voulez-vous parler ? demanda Claudia, perplexe.

— De vous ! Votre vie, votre nouvel appartement. Votre choix des couleurs pour la décoration. Vous êtes arrivés à vous entendre avec… comment s'appelle-t-il déjà ? Désolée, j'ai oublié son prénom.

— Thibaud !

— Vous l'avez définitivement converti au design IKEA ou a-t-il pu résister… un peu ?

Claudia, étonnée par l'attitude décontractée de Camille, eut du mal à cacher sa surprise.

— Oui, nous arrivons à trouver un compromis… chacun sa pièce pour la déco. Mais, et vous, Camille ? Vous allez… enfin…

— Je vais aussi bien que quand on se trouve devant une immense montagne que l'on doit gravir attaché à une corde très fine.

— Je suis désolée, s'excusa Claudia.

— Ne vous inquiétez pas. Je vais tenter le coup. Si ça casse...

— Ça ne cassera pas, fit Claudia d'un ton péremptoire.

— Vous êtes gentille, ça me fait du bien de parler avec vous.

— Ça ne cassera pas, ça ne peut pas casser, pas vous !

Camille, étonnée, prit un temps de réflexion avant de lui répondre :

— Ça me touche, ce que vous dites ! Mais je ne suis pas plus forte qu'une autre. Le traitement et peut-être un peu de chance décideront de la suite.

Camille se leva et se dirigea vers le minibar de son bureau. Elle constata que ses boissons préférées étaient toujours là. Elle se saisit d'une canette de Coca.

— Vous en voulez une ? proposa-t-elle à son assistante.

— Je veux bien, merci.

Camille sourit et poursuivit :

— Je ne suis pas plus forte qu'une autre, comme je viens de vous le dire. Chacun a sa part d'ombre et...

Claudia l'interrompit.

— ... et de lumière !

— Sans doute, mais ma part d'ombre est bien présente. La vie m'a-t-elle punie ? Je n'en sais rien. Allez, trinquons ! À quoi, d'ailleurs ?

— À la vie, à l'amour ? proposa Claudia.

— Beau programme, ça me plaît !

Claudia but trois gorgées de Coca avant d'oser rectifier la formule de son toast.

— Alors à la vie et aux... déjeuners professionnels...

Un instant interloquée, Camille murmura :

— Ah d'accord, vous saviez...

— Je m'en suis doutée depuis le jour du Post-it sur lequel j'avais noté le message du monsieur qui avait appelé. Ce n'était pas un client.

— Oui, mais ç'aurait pu être n'importe qui, objecta Camille.

— Oh non ! Vous auriez vu votre réaction ! Et tous ces rendez-vous qui se rajoutaient régulièrement à votre emploi du temps sans objet précis, avec, chaque fois, un passage devant le miroir pour vous remaquiller.

— Vous avez l'œil, et vous n'avez jamais rien dit !

— Ça ne me regarde pas, et puis vous aviez l'air tellement épanouie.

— Vous êtes un ange, Claudia !

— Oh non... j'ai aussi mon côté sombre, plaisanta l'assistante.

Elles se mirent à rire.

Richard pénétra dans le bureau.

— C'est l'heure, nous devrions y aller.

Camille embrassa Claudia avant de suivre son mari, qui lui tenait la porte, surpris de cette soudaine familiarité.

Le reste de la journée se déroula exactement comme Camille se l'était imaginé : la réaction de ses enfants, de Boussara, son mari promettant de prendre en main la gestion des problèmes de la vie quotidienne...

Richard était persuadé de la guérison de Camille. À cet instant, c'était le seul parmi les adultes de la maisonnée à y croire vraiment. Sa construction psychologique était un indéniable atout dans les moments difficiles. Quand on refuse de se laisser envahir par ses émotions, alors les doutes trop puissants s'effacent. Et si l'on veut gagner une guerre, il ne faut pas commencer par imaginer la défaite. Par ailleurs, et pour Richard c'était une certitude : ce temps qui défilait lui permettrait de retrouver sa femme, qu'il avait toujours aimée. Les mois de traitement et de convalescence seraient une forme de reconquête, une forme de renaissance d'un couple que les années avaient lentement mais sérieusement usé.

Bien sûr, Richard était toujours incapable d'imaginer la force de l'attachement qui unissait Camille et Stephen. Pour lui, Camille avait eu une simple liaison comme des centaines de milliers d'autres femmes, qui ne divorçaient pas pour autant.

Camille, pour sa part, était de plus en plus envahie par un lourd sentiment de culpabilité. Elle pensait que chacun devait connaître les limites de la joie et du bonheur qui lui étaient accordés et qu'une fois ce crédit dépensé, si l'on en voulait davantage, alors les dettes s'accumulaient, les agios explosaient et, le moment venu, la faillite devenait inévitable.

À la fin de la journée, le désespoir l'envahissait.

Elle n'avait plus envie de mentir et pourtant elle devait – une dernière fois – rencontrer Stephen pour lui annoncer sa décision. Leur dernier rendez-vous secret, leurs derniers regards.

14

Autant de temps...

Nous n'avons jamais eu autant de temps que le jour où nous nous rendons compte que nous n'en avons plus ! C'est effrayant et rassurant à la fois.

Effrayant, car il ne reste que quelques semaines ou quelques mois à entendre le tic-tac de l'horloge.

Rassurant, car, enfin, nous sommes capables de profiter de la moindre seconde de vie, de transformer chaque minute de grisaille en soixante étoiles scintillantes.

Ce matin-là, Camille prit beaucoup de temps pour se préparer. Son dernier jour de liberté avant le grand saut dans l'inconnu. Elle devait faire quelques achats pour son séjour à l'hôpital. Richard lui avait proposé de s'en occuper, mais elle avait prétexté qu'elle désirait une dernière matinée d'insouciance avant l'ambiance peu réjouissante des salles de traitements.

Il avait acquiescé sans se douter qu'elle allait consacrer la matinée à rendre visite à Stephen.

Camille s'étonna elle-même ; soudain, elle se sentait sereine, comme si son choix était le seul possible : une évidence !

Elle choisit avec soin sa tenue, son maquillage et sa coiffure. Elle connaissait les goûts de Stephen par cœur, elle s'efforça d'être aussi séduisante que possible. Cela la fit sourire : elle voulait être le plus belle, le plus désirable possible pour annoncer... qu'ils ne se verraient plus.

Jusqu'au dernier moment, elle se souciait d'être son plus beau souvenir, celui qui resterait, à jamais, ancré en lui.

Elle accentua un peu le trait de son eye-liner et appliqua un anticernes sur ses paupières inférieures. Elle ne voulait pas que Stephen remarque ses traits tirés. Elle avait perdu quatre kilos et les effets de la maladie commençaient à se voir...

Elle enfila une robe de dentelle écrue qui tombait juste au-dessus du genou. Une épaisse ceinture de cuir marron affinait encore plus sa frêle silhouette. Elle passa un long moment devant le miroir de la salle de bains à lisser avec application sa chevelure brune, puis d'un mouvement léger donna du volume à ses cheveux qui retombèrent en cascade sur ses épaules.

Restait à se décider sur la paire de chaussures qui serait le mieux assortie à sa robe. Elle fila dans sa chambre pour les choisir dans l'armoire. Et soudain, elle se revit devant cette même armoire, hésitant de la même façon avant de jeter son dévolu sur une paire de bottines à talons en cuir abricot... le jour où elle était allée retrouver Stephen après vingt-sept ans d'absence. Elle prit les bottines et les enfila. Une façon de fermer la parenthèse ?

Elle se regarda dans la glace de l'armoire. Malgré les premières traces de fatigue dues à la maladie, elle se trouvait belle. C'était l'heure de partir ; elle avait donné rendez-vous à Stephen à 10 heures à la librairie. Elle embrassa ses enfants qui n'allaient pas tarder à s'en aller eux aussi, Vanessa accompagnée de ses amies et Lucas avec Boussara.

— À ce soir, lança-t-elle. Je viendrai vous récupérer, tous les deux.

— Mais papa a dit que... s'étonna Lucas.

— Je m'arrangerai avec lui. Aujourd'hui c'est moi qui m'occupe de vous. À partir de demain... ce sera papa...

Vanessa s'approcha de sa mère et la serra dans ses bras.

— Maman... dit-elle simplement.

Camille ne souhaitait pas que ce moment s'éternise ; Vanessa souffrait de la situation et sa mère ne voulait pas dramatiser encore plus l'instant. Elle lui tapa sur les fesses.

— Allez hop, au boulot, ma fille ! Et tu peux dire à François que tu vas t'inscrire aux cours d'équitation.

— Super ! fit Vanessa en serrant le poing de satisfaction. Papa est d'accord ?

— Pas de souci. Ton père sera d'accord !
Allez hop, au boulot j'ai dit !

Camille suivit ses enfants du regard jusqu'à
ce qu'ils disparaissent au bout de la rue.
Boussara lui fit un signe de la main, comme
pour lui dire que tout se passerait bien.

Elle s'installa dans son nouveau crossover.
Elle inséra le CD qu'elle avait écouté juste
avant sa première rencontre avec Stephen. Elle
démarra et se laissa bercer par les notes de
piano apaisantes de *River Flows in You*.

Camille gara sa voiture sur sa place réservée
dans le parking du cabinet face au jardin
du Luxembourg. Plutôt que de s'engouffrer
dans la dense circulation parisienne, elle préféra refaire une dernière fois, en métro puis à
pied, le trajet qui la conduisait à la librairie de
Stephen : station Saint-Sulpice, Châtelet-les-
Halles, boulevard Sébastopol, puis la rue du
Temple.

Après quelques minutes de marche, elle
arriva sous le porche de pierre. Face à elle,
l'impasse pavée et tout au fond... *Des mots et
des maux*.

15

La recette du bonheur

Et si c'était cela, la recette du bonheur ?

Envelopper les plus belles parenthèses du passé et les laisser s'envoler.

Savoir apprivoiser ces milliers de sensations, de sentiments et de découvertes et les garder au fond de nous comme une assurance de paix pour l'avenir.

Se dire que, malgré les moments de souffrance, il y aura toujours ce souffle apaisant d'air chaud qui nous accompagnera.

Camille s'avança dans l'impasse. Elle salua Gavin en train d'installer de nouvelles toiles sur ses présentoirs extérieurs. Il négociait avec des acheteurs et lui répondit d'un simple geste de la main. Camille se souvint qu'elle avait fait accrocher la toile de Gavin que lui avait offerte Stephen sur le mur de son bureau. Elle n'avait pas encore pu vraiment en profiter. Le pourrait-elle un jour ? Elle n'en savait rien.

Elle s'arrêta à quelques mètres de la vitrine. Stephen n'avait pas remarqué sa présence. Il s'affairait à placer de nouvelles piles de livres dans la devanture de sa librairie. Elle le regarda un instant, ses cheveux grisonnants commençaient à être longs et lui tombaient sur les yeux. Il les fit glisser derrière ses oreilles. Camille pensa à une des remarques préférées de Lucas : « Ce ne sont pas des portoirs, ça sert juste à entendre ! »

Elle aurait aimé continuer à observer ses gestes lents et précis presque comme dans un film au ralenti, mais Stephen, s'étant avancé un peu plus dans la vitrine pour y placer une dernière pile de livres, l'aperçut. Il se redressa et lui adressa un sourire, le même depuis toujours, celui auquel elle n'avait jamais pu résister. Et pourtant, aujourd'hui, elle devait trouver la force de faire comme si ce sourire à la Simon Baker n'existait pas, comme si sa voix rocailleuse et chaude n'était qu'un mirage et l'odeur de sa peau une simple habitude.

Il sortit de son magasin, prenant garde de ne pas renverser les ouvrages qu'il venait de mettre en place. Tout en tapotant son jean pour enlever la poussière amassée dans les recoins de la devanture, il s'adressa à Camille avec son naturel habituel.

— Je ne t'avais pas vue, ça fait longtemps que tu es là ?

— Non.

— Tu es magnifique !

— Merci.

— Rentrons, tu veux ?

— Bien sûr !

Stephen remarqua l'air grave de Camille et ses réponses minimalistes.

— Ça va, tu es sûre ?

— Non Stephen, ça ne va pas ! C'est difficile, dit-elle sans hésitation.

Il s'approcha et posa sa main sur la joue de Camille qui, comme elle le faisait souvent, pencha la tête et ferma les yeux pour mieux ressentir cette caresse. Il ne le lui fit pas remarquer, mais il nota des petites veines bleutées autour de ses yeux qui trahissaient son amaigrissement et sa fatigue.

— Que veux-tu dire ?

Elle ne tergiversa pas, à quoi bon ? Elle ferma les yeux et annonça brutalement :

— Je vais peut-être mourir.

Stephen eut un mouvement de recul. Malgré sa surprise, il ne retira pas sa main.

— Comment ça, tu vas peut-être mourir ? Qu'est-ce que tu racontes ?

Camille redressa doucement la tête, ouvrit les yeux et le regarda. Elle attendit quelques secondes avant de s'exprimer comme si elle voulait figer l'instant, le rendre plus fort pour que Stephen n'ait aucun doute sur la réalité de ses propos.

— C'est la vérité Stephen, une saloperie de cancer. Demain, j'ai ma première séance de chimio, les chances de survie sont minces, mais...

Stephen aurait pu hurler sa douleur, pester contre le mauvais sort... mais il eut la seule réaction qui pouvait apaiser Camille et lui donner quelques espoirs quant à son avenir.

Il prit ses mains entre les siennes et rétorqua :

— Mais... elles existent !

— ...

Il insista.

— Camille, elles existent, ces chances ?

— Oui, fit-elle d'une voix étranglée.

— Alors tu vas te battre et tu vaincras, voilà tout !

Elle libéra ses mains qu'il n'avait toujours pas lâchées, se colla contre lui et le serra si fort qu'il put sentir les battements de son cœur. Camille avait le menton posé sur l'épaule de Stephen. Elle ne disait rien, elle ne pleurait même pas. Sans doute, inconsciemment, gardait-elle quelques forces pour lui annoncer... l'impensable !

— Stephen, il faut que je te parle ! Je vais te demander de ne pas me couper. En fait, je vais te demander d'être celui que tu as toujours été : le seul qui m'ait réellement comprise.

Il savait déjà, il devinait, il avait compris ! D'une voix blanche, il lui donna sa parole.

— Je t'écoute, je ne dirai rien !

Camille avait pensé le moindre mot, mais rien ne vint comme prévu. Tout s'embrouillait, les phrases s'éparpillaient, mais qu'importe, l'essentiel était là. C'était peut-être mieux ainsi : naturel et d'une profonde sincérité.

— Je vais peut-être mourir, je vais peut-être vivre, je n'en sais rien. Dans quelques mois, je saurai... Je n'y croyais pas trop, à ce truc de faire le point quand on découvre qu'on s'approche peut-être de la fin, eh bien, je me trompais ; c'est une réalité ! Je me suis repassé le film de ma vie dans tous les sens, j'ai fait défiler mon enfance, mon adolescence, ma vie de femme et d'épouse, mon travail, mes enfants, tout, absolument tout... et surtout toi !

Stephen ne voyait pas son visage, il sentait seulement le menton de Camille vibrer sur son épaule au rythme de ses paroles.

À son tour il ferma les yeux, elle poursuivit :

— J'ai compris que notre histoire était une des plus belles choses qui me soient arrivées. Je ne te dirai pas « la plus belle », même si peut-être que... en tout cas la plus forte, c'est certain.

» Tu vois, au début de ma réflexion, je me demandais souvent : qu'est-ce qui m'est arrivé de plus beau dans la vie jusqu'à présent ? Vanessa, Lucas ou... toi ?

» Ne dis rien. Je sais, c'est égoïste et presque horrible pour une mère de se poser une question pareille. Mais je l'assume, je n'ai pas honte, car cela m'a permis de comprendre que ce n'était pas comparable. Je crois que je suis arrivée à un tournant de mon existence où me mentir serait une grossière erreur. Et puis mentir, à quoi bon ? La vérité, je viens de la prendre en pleine gueule, alors...

Elle inspira à plusieurs reprises, tentant de calmer sa respiration qui s'emballait. Il lui caressa le dos... comme s'il voulait l'apaiser.

— C'est paradoxal ; la maladie qui va peut-être m'emporter m'a aidée à y voir plus clair ! Sur ce qui était le plus important, sur ce qui devait absolument être préservé ! J'ai décidé de sauver ceux qui comptent le plus à mes yeux : mes enfants et nous !

Stephen ne comprenait pas, mais il avait promis de se taire. Elle poursuivit :

— Vanessa et Lucas, c'est le plus facile, je vais me battre contre la maladie et tenter de les accompagner encore longtemps pour qu'ils deviennent des adultes forts et équilibrés. Quant à nos sentiments, je veux les conserver aussi puissants qu'ils ont toujours été, aussi puissants qu'ils ont été sur la dune, aussi forts qu'ils furent toutes ces longues années sans toi, aussi forts qu'aujourd'hui. Stephen, je ne veux pas prendre le risque de voir notre amour se ternir, se dégrader avec le temps et les aléas de la maladie. Non, jamais je ne prendrai ce risque ! Je veux garder le souvenir d'une histoire unique, intense, incompréhensible... la nôtre !

Stephen savait ce qu'elle avait décidé, il avait envie de hurler sa souffrance, mais il avait promis. Il serrait les dents, les muscles de ses mâchoires se tétanisaient.

— Je t'ai déjà quitté deux fois, Stephen ! À seize ans, comme une jeune fille un peu trop fière d'elle qui, dès le lendemain, regretta sa décision, et vingt-sept ans plus tard sur un quai de la gare du Nord, comme une femme qui manquait de courage, celui de décider de sa vie. Là aussi, à peine séparée de toi, je pestais déjà contre ma lâcheté. Mais chaque fois, tu as su me reconquérir avec patience et douceur.

» Alors aujourd'hui, Stephen, je ne vais pas te quitter, tu m'entends, je ne vais pas te quitter ; j'en suis parfaitement incapable ! Je vais te demander quelque chose de bien plus difficile, mais ainsi ce que nous vivons depuis près de trente ans sera définitivement préservé.

Elle reprit son souffle, toujours collée à lui.

— Non, je ne te quitte pas, mais... nous n'allons plus nous voir, Stephen. Notre amour continuera de vivre tel qu'il est aujourd'hui : pur, fragile, mais vivant ! À jamais vivant.

» Tu sais, un peu comme les souvenirs que l'on raconte à ses petits-enfants les soirs d'hiver près d'un feu de cheminée. J'ai envie d'avoir des petits-enfants, que Vanessa et Lucas m'offrent ce cadeau. J'ai envie de leur raconter qu'un jour une femme a connu un amour incondi-tionnel. Oui, j'ai envie de tout ça, de voir leurs yeux briller, de les entendre me dire : "Mamie, continue l'histoire de la princesse, tu sais, celle que tu as inventée pour nous endormir."

» Alors je continuerai, mais je n'inventerai rien ! Ce sera notre histoire que je leur conterai en attendant que leurs paupières se ferment dans la quiétude. Ils dormiront et je poursui-vrai la lecture seule, encore une fois, une nou-velle fois...

» Comprends-moi, Stephen ! D'ailleurs, pourquoi te demander ça ? Je sais déjà que tu ne diras rien et que tu respecteras mon choix. Non pas parce que tu ne veux pas me contrarier, ni me dire que tout ce que je viens de déclarer n'est qu'un enchevêtrement de bêtises. Non, tu ne diras rien, je le sais, car tu auras compris que c'était la seule solution, l'unique espoir de sauver notre amour. Il sera là, à côté de nous à chaque instant de notre vie. Il sera là pour l'éternité.

» Reste près de moi. Que je te serre encore un peu, pour une dernière fois m'imprégner de ton odeur. Puis mes bras te lâcheront, je me retournerai, je baisserai la tête pour ne pas te regarder ; je ne pourrai pas. Je m'efforcerai de traverser la cour sans cette envie de courir vers toi et d'envoyer valdinguer tout ce que je viens de te dire. Et puis je disparaîtrai...

Stephen ne bougeait pas, il en était incapable. Aucun son ne sortait de sa bouche. D'ailleurs, qu'aurait-il dit ? Rien qui ait du sens. Dans ces moments, seul le silence s'impose ; les mots deviennent inutiles.

Il admirait cette femme pour ce courage que lui n'aurait jamais eu. Comment pouvait-elle avoir cette force en elle ? Comment cette adolescente qui s'affalait dans le sable avait-elle pu devenir cette femme qui, aujourd'hui, malgré sa maladie, dégageait cette puissance qui les portait tous les deux ?

Peu à peu, l'étreinte de Camille se desserra. Stephen savait que dans quelques instants ce serait fini, il ne la verrait plus... Elle lâcha son bras, la main de Stephen tomba lourdement sur son bureau, frôlant le diffuseur des fleurs de Bach, ce parfum qu'il lui avait fait découvrir et dont elle ne pouvait plus se passer désormais. Il le prit et le glissa dans le sac de Camille. Il ne pouvait pas le voir, mais elle eut un léger sourire. Elle sortit le diffuseur de son sac et le porta à son cou, juste derrière l'oreille, exactement à l'endroit où Stephen lui avait pulvérisé la première goutte de cet élixir en lui vantant les vertus presque magiques de ce mélange floral.

Elle demanda simplement :

— C'est bien ici, derrière l'oreille ?

Il ne dit rien, il confirma son propos en laissant glisser son pouce sur la peau de Camille.

— Merci, fit-elle.

Puis, comme elle le lui avait annoncé, Camille se dégagea totalement. Elle se retourna en baissant la tête, elle sortit de *Des mots et des maux*, traversa la cour pavée et disparut derrière le porche.

16

Des tas de petits espoirs

Ce sont rarement les raisons les plus nobles qui nous donnent l'énergie de continuer. Quand la vie se joue à pile ou face, la force de se battre et d'y croire se trouve parfois dans les choses les plus infimes.

Chacun, à sa façon, accumule des tas de petits espoirs : continuer à entendre une voix apaisante, revoir un lieu où l'on se sent chez soi, sentir l'odeur de l'herbe mouillée un soir d'orage, revivre un moment d'insouciance et de légèreté...

Quand la vie est en jeu, les grandes décisions n'existent plus, seul compte l'espoir... des tas de petits espoirs.

Jeudi matin, 10 heures, hôpital de la Pitié-Salpêtrière, service d'oncologie. Camille était en avance. Richard, qui l'avait accompagnée, n'avait voulu prendre aucun risque et avait préféré partir une demi-heure plus tôt de Saint-Rémy.

Le professeur Maloy était présent pour accueillir sa patiente et lui présenter l'équipe qui allait s'occuper d'elle tout au long de son protocole de chimiothérapie. Richard posa beaucoup de questions, s'intéressant au moindre détail. Camille paraissait détachée, presque absente, comme enveloppée d'une brume, perdue dans ses pensées.

Le professeur s'efforça de la faire réagir, mais toutes ses tentatives se soldèrent par un échec. Richard continuait de le bombarder de questions concernant le traitement, les effets secondaires, le contrôle après les séances de chimiothérapie.

Une fois la visite du service terminée, le professeur Maloy demanda à Richard de patienter dans la salle d'attente. Il voulait être seul avec Camille ; il s'inquiétait de cet état dépressif qu'elle présentait.

— Vous n'avez pas de questions, Camille ? lui demanda-t-il.

Elle haussa les épaules et les laissa retomber lourdement.

— Non.

Il insista.

— Vous êtes sûre ?

— Oui, je vous fais confiance.

Le professeur paraissait contrarié.

— Je comprends, Camille. Mais moi aussi, j'ai besoin de vous !

— Je sais, c'est pour ça que je suis là ! assura-t-elle.

— Je n'en ai pas l'impression...

— Bien sûr que si, fit-elle sans conviction.

— J'ai besoin que vous soyez certaine de votre guérison, c'est important !

— Commençons le traitement, professeur, et évitez-moi ces discours. Je ne crois pas que la volonté guérisse quoi que ce soit. La chimie et un brin de chance peut-être, mais certainement pas la volonté.

— Vous avez tort !

— Non ! La volonté est un leurre. Elle évite de voir la vérité en face. Alors on se raconte des histoires, on fait comme si c'était le médicament miracle. Ça peut aider à se rassurer, mais pas à guérir, je crois plutôt à la science et à la médecine.

— Vous êtes dure avec vous ; vous possédez des ressources, Camille, le savez-vous ?

Il lui arracha un sourire.

— Peut-être.

Le professeur se permit alors une remarque.

— J'ai l'impression que le traitement ne vous fait pas peur. Comme si les désagréments qu'il vous occasionnera ne vous inquiétaient pas, je me trompe ?

Un nouveau sourire.

— Effectivement, c'est un peu mon état d'esprit.

— Comme si ce n'était qu'une étape dans un cheminement que vous vous êtes imposé...

Les traits de Camille se tiraient, ses yeux commencèrent à briller.

— Vous connaissez bien les êtres humains, dit-elle simplement.

— J'essaie de faire de mon mieux.

— Alors, arrêtons de discuter et commençons et… faites de votre mieux. J'ai envie de voir mes enfants grandir !

— Parfait, allons-y !

*
**

Le protocole de chimiothérapie que subissait Camille consistait en une série de dix perfusions d'environ trois heures administrées à quinze jours d'intervalle.

Les premières séances ne lui occasionnèrent qu'une légère nausée, mais à mesure que son corps se saturait en produits, les effets secondaires se firent plus nombreux, plus intenses. Camille perdit jusqu'à huit kilos, sa belle chevelure brune n'était plus qu'un lointain souvenir, ses yeux verts ne reflétaient plus que fatigue et vide.

Sa belle-famille lui rendit visite, et chacun à sa façon se lança dans un discours de compassion bien compréhensible, mais qu'elle ne supportait plus.

Kalynia, qui venait d'accoucher d'une petite fille, lui téléphona souvent. Elle lui demanda de choisir le prénom de sa filleule, Camille refusa. Devant l'insistance d'Evan, elle leur proposa « Océane ». Ils acceptèrent avec enthousiasme.

Elle avait envie qu'on lui parle de tout sauf de son état : de ses enfants, de son métier qu'elle voulait reprendre un jour, de l'été, qu'elle aimerait tant passer à Arcachon, de la pluie, du beau temps, de n'importe quoi, mais ne plus entendre un mot sur son protocole de soins, ses conséquences et ses espoirs.

Au début du traitement, Mathilde et Hubert étaient entrés dans une forme de compassion bien légitime. Mais ils comprirent rapidement que « leur petite » avait besoin d'autre chose, alors Mathilde décida de prendre des nouvelles auprès de Richard, au lieu d'agacer Camille avec ses questions. Lorsqu'elle était avec elle, elle lui offrait sa bienveillance et surtout cette ouverture sur le monde des vivants dont elle avait tant besoin.

Sa mère fit l'effort d'un aller-retour Arcachon-Paris au cours des vacances d'automne, car une de ses voisines, enseignante, pouvait s'occuper… d'Hector. Quel don de soi ! Camille n'y accorda que peu d'importance. De toute façon, dès que sa mère arriva à Paris, elle ne pensa qu'à une seule chose… rentrer à Arcachon. Bien curieuse réaction pour une grand-mère qui se plaignait régulièrement et avec insistance de ne pas assez voir ses petits-enfants, mais qu'importe.

Ses enfants étaient, pour Camille, ses véritables bouteilles d'oxygène. Chaque moment passé avec Vanessa et Lucas était un vrai bonheur : ils ne jugeaient pas l'apparence de leur mère ou son incapacité, quelquefois, à relire leurs cours ou signer un simple papier quand les nausées se multipliaient. C'est le propre des enfants d'avoir cette aptitude au détachement et au lâcher prise qui, malgré la maladie, incite à croire que la vie vaincra.

En revanche, Amélie et Sabine eurent beaucoup de mal à s'habituer à l'état de Camille. Sabine n'y parvint pas et, malgré ses efforts, espaça ses visites. Amélie utilisa sa plus grande qualité : l'humour. Les heures qu'elles passaient toutes les deux étaient de beaux moments de complicité.

Tout au long du protocole de soins, Richard couva sa femme, devançant la moindre de ses attentes. Camille se laissa envelopper par ce cocon protecteur qui lui permettait d'avoir l'esprit tranquille et, ainsi, de se concentrer sur la volonté de se battre. Richard évoquait parfois des dossiers qu'il traitait au cabinet, mais sans jamais la saturer d'informations. Juste le bon dosage pour qu'elle se sente utile en lui prodiguant quelques conseils.

Camille pensait souvent à Stephen. Plus les semaines passaient et plus elle était persuadée qu'elle avait pris la bonne décision. Stephen lui manquait terriblement, mais ce qu'elle avait fait était le seul moyen de garder leur amour intact. Elle avait sauvé cet amour, il était immortel et c'était le principal !

Lorsque les vacances de Noël approchèrent, le professeur Maloy lui donna l'autorisation de décaler une des dernières séances afin de passer la période des fêtes de fin d'année dans un état de fatigue moins prononcé.

Noël et le premier de l'an se déroulèrent à Saint-Rémy-lès-Chevreuse ; Camille était incapable de faire plus d'une cinquantaine de kilomètres en voiture.

La dernière séance de chimiothérapie eut lieu le 18 janvier. Le professeur Maloy prévoyait un mois de délai avant le scanner de contrôle afin de vérifier l'efficacité du traitement sur la réduction de la tumeur et, éventuellement, de pouvoir procéder à son extraction. L'attente fut interminable pour Camille. Les jours froids et gris de l'hiver parisien n'incitaient guère à l'optimisme.

Puis le jour de son examen arriva enfin. Son rendez-vous était fixé à 17 heures. Camille tourna comme une bête en cage à son domicile tout au long de la journée. Richard devait l'accompagner, mais un rendez-vous important au palais de justice s'éternisa et il ne put se rendre au service de radiologie qu'une fois l'examen terminé.

Lorsqu'il entra dans le bâtiment, Camille était assise dans la salle d'attente. Il s'approcha.

— Désolé.

— Ce n'est pas grave, j'attends les résultats.

— Alors, je ne suis pas complètement en retard, tenta de plaisanter Richard.

Camille lui adressa un sourire forcé, puis se replongea dans son magazine, tournant les pages sans savoir ce qu'elle lisait, juste pour s'occuper.

La porte battante du couloir grinça, des bruits de pas se firent entendre. Elle se leva et reconnut la silhouette du professeur Maloy. Il marchait lentement et fit signe au couple de l'accompagner.

— Camille, monsieur Mabrec, comment allez-vous ?

Elle balbutia :

— Eh bien... ça va...

Le professeur posa ses lunettes sur le bout de son nez, se saisit d'un stylo et s'approcha du tableau lumineux où les clichés étaient affichés. Il s'adressa au radiologue.

— Tout ce que tu m'as envoyé est là ?

— Peut-être dans le désordre, mais l'ensemble est là ! lui répondit son confrère.

Il se tourna vers Camille et alla droit au but.

— Votre cure de chimiothérapie s'est montrée particulièrement efficace et nous pouvons envisager de vous opérer dans les meilleures conditions. De plus, les images ne montrent aucune suspicion de métastases au rein.

Camille ne réagissait pas. Elle ne semblait pas comprendre les conclusions du professeur. Richard tenta de la sortir de sa torpeur.

— Camille, tu as entendu ?

— Oui, fit-elle d'une voix à peine audible.

Le professeur précisa son propos.

— Même si la bataille n'est pas encore totalement gagnée, vos chances de guérison sont optimales.

286

Camille ne réagissait toujours pas. Puis, tout à coup, des pleurs silencieux perlèrent sur ses joues amaigries.

— Je vais donc... voir mes enfants grandir ?

— Je vous le répète, votre guérison peut, désormais, être envisagée.

Richard s'approcha de sa femme et, d'un geste franc, lui saisit la main. Camille la serra si fort que ses doigts tremblèrent, ses larmes continuaient de couler, silencieuses. C'était comme si une peur trop longtemps contenue s'exprimait d'un coup.

Elle répéta, la voix tremblante :

— Vanessa, Lucas... je vais les voir grandir, tu te rends compte ?

Richard était heureux : sa femme évoquait l'avenir.

Ils sortirent de l'hôpital et, une fois arrivée sur le parking, Camille s'empressa d'appeler ses enfants, puis Mathilde, Amélie et Kalynia.

Vanessa proposa de préparer un superbe repas pour fêter la bonne nouvelle en famille. Lucas n'arrêtait pas de répéter « maman, maman » comme s'il venait de retrouver celle qu'il avait eu si peur de perdre, même s'il ne le montrait pas.

Mathilde et Hubert craquèrent, s'effondrant en pleurs, sans doute le résultat de trop longs mois où ils s'étaient retenus d'exprimer leurs émotions afin de soulager leur « petite ». Camille fut profondément touchée par leur réaction. De toute façon, elle n'avait jamais été dupe de leur relatif silence concernant son état : elle savait que son « petit père » et sa « petite mère » voulaient la préserver en ne parlant pas tout le temps de « cette saloperie », comme disait Hubert.

Amélie, elle, cria tellement fort quand elle apprit les résultats que Camille éloigna son iPhone de son oreille et attendit quelques instants que le niveau de décibels diminue avant de répondre à son amie.

Kalynia étant sur répondeur, Camille lui laissa un message.

« Embrasse Océane pour moi. Je viens d'avoir mes premiers résultats, elle devrait connaître sa marraine ! »

Puis elle rédigea un SMS pour Claudia qui, avec discrétion et sincérité, l'avait soutenue tout au long de ces derniers mois.

Pour tous les autres, elle se dit qu'elle le ferait plus tard ou bien que Richard s'en chargerait. Ils ne s'étaient pas bousculés pour la soutenir, ils pouvaient donc attendre pour qu'elle leur donne quelques nouvelles.

L'intervention fut programmée pour le tout début du mois de mars. Avant de la faire entrer en salle d'opération, l'anesthésiste, comme à son habitude, demanda à sa patiente de fixer son esprit sur quelque chose de gai, un agréable souvenir, au moment de s'endormir.

Il lui proposa de penser à ses enfants. Camille, le masque sur le nez, s'endormit doucement avec son plus beau souvenir... Stephen.

Son hospitalisation ne dura qu'une semaine. Le professeur Maloy lui fit part de la réussite de l'opération ; il avait pu extraire la totalité de la tumeur. Jusqu'au mois d'avril, Camille se reposa. Ce n'est qu'après deux semaines de convalescence qu'elle commença une série de séances de radiothérapie pour s'assurer de la destruction des dernières cellules malignes.

À la fin du mois de mai, l'ensemble du protocole de soins, commencé neuf mois auparavant, se terminait. C'était l'heure du bilan.

Le professeur l'invita à pénétrer dans son bureau :

— Camille, c'est presque gagné !

— Pourquoi, « presque » ? s'étonna-t-elle avec un brin d'ironie.

Le professeur sourit.

— Ça me fait plaisir de vous voir comme ça. Vous avez repris quelques kilos.

— Oui, quatre ! affirma-t-elle avec fierté.

— Vos bilans sont excellents ! Mais il faut attendre pour confirmer la guérison. Vous aurez la joie de me revoir dans un premier temps tous les trois mois, puis nos rendez-vous s'espaceront. Du moins, je le souhaite.

Camille hésita.

— Je... voulais ... vous demander...

— Je vous en prie !

— J'aimerais partir un peu en famille à Arcachon pour les vacances d'été, vous pensez que... c'est possible ?

— Partez, Camille ! Changez d'air, allez respirer l'océan ! C'est le meilleur des remèdes.

— Sans doute... dit-elle avec nostalgie.

— Le bassin d'Arcachon, j'y ai passé quelques jours il y a deux ans avec ma femme, c'est une magnifique région ! Vous connaissez ?

— C'est chez moi, mes racines, mes... souvenirs...

— Je me disais aussi, le petit accent. Ne faites pas de folies, mais sans aucune restriction, je vous signe l'ordonnance pour un séjour à Arcachon, plaisanta-t-il en imitant une signature au bas de son calepin.

— Merci !

— Bon courage, Camille.

17

Le cœur un peu plus fort

On ne rembobine pas le fil de son existence.

Un seul choix s'impose : celui de continuer.

Le cœur un peu plus solide, fort de ses cicatrices, là où ça a fait le plus mal.

Mais recommencer, jamais !

Quand c'est trop puissant, trop intense, il n'y a pas de deuxième chance.

Il n'y a qu'une seule issue : un pas devant l'autre et se dire que plus jamais on ne sera seul !

Deux mois plus tard

Ce matin de juillet, le temps était doux sur Arcachon. Les fortes chaleurs annoncées depuis plusieurs jours n'étaient pas au rendez-vous.

Camille se leva tôt pour profiter de la fraîcheur matinale. La maison en bordure de l'Océan était encore endormie lorsqu'elle partit se promener sur la plage Pereire. Depuis le jour où elle avait appris sa maladie, elle ne connaissait plus le plaisir des grasses matinées. Elle s'était rendu compte que le temps était un bien fragile et précieux, alors peu importaient deux heures de sommeil supplémentaires. Elle préférait profiter des embruns océaniques et sentir l'écume de la marée montante mourir sur ses pieds.

Camille aimait prendre conscience de toutes ces sensations oubliées, négligées au fil des ans, comme si la vie était éternelle et nous donnait l'impression que nous aurions toujours le temps de la savourer plus tard, une autre fois...

Elle savait désormais que la vie était une magnifique mais cruelle amie, qui peut nous lâcher la main sans prévenir, lorsqu'elle le décide, avec une violence parfois insupportable.

Alors elle profitait de tous ces instants, de ces souffles de vie.

Elle marchait lentement, regardant les premiers bateaux de pêcheurs se diriger vers la sortie du bassin et les passes du banc d'Arguin, en direction de l'immensité de l'Océan et de ses mystères.

Elle se souvint que trente ans plus tôt, Stephen l'avait invitée sur l'embarcation de ses parents. Son père, ancien capitaine de la Marine marchande, officiait à la barre. Camille eut un pincement au cœur en pensant à son baptême du mal de mer. La demi-journée de pêche initialement prévue s'était vite transformée en simple balade autour de l'île aux Oiseaux et retour rapide au petit port du Moulleau où Julia, la mère de Stephen, les attendait pour le déjeuner.

C'était leur première rencontre, Camille avait eu honte de son état, mais Julia avait vite rassuré cette jeune fille qui donnait à son fils ce sourire radieux.

C'était il y a si longtemps, le temps de l'adolescence et de l'insouciance...

Camille voulait revoir l'ancienne maison de pêcheur où vivaient Stephen et ses parents à l'époque. Elle savait qu'il ne fallait pas, elle savait qu'elle ne devait pas, mais certaines choses sont plus fortes que nous, elles s'imposent comme une forme d'évidence.

Elle n'avait aucune idée de ce qu'elle allait trouver, de qui elle allait rencontrer. La maison existait-elle encore ? Sa mère lui avait appris que des promoteurs avaient mis la main sur les dernières parcelles disponibles en bord de mer jusqu'au ponton du Moulleau. Mais peut-être la petite maison à la peinture écaillée serait-elle encore là, les volets clos ? Ou alors une famille s'y serait-elle installée, qui donnerait vie à cet endroit devenu trop nostalgique ?

Ce dont elle était certaine, c'est qu'elle y retrouverait l'image de son plus beau souvenir.

Celui qu'elle n'oublierait jamais et qu'elle avait désormais rangé dans le plus éclatant des écrins.

Elle décida que ce serait ce matin qu'elle irait au Moulleau. Elle revint vers la maison que Richard avait louée pour les vacances et où personne n'était encore levé. Elle griffonna un mot sur la table de la cuisine : « *Je reviens avec les croissants, je vous embrasse, je vous aime...* »

Elle enfourcha le vélo de Vanessa et prit la piste cyclable longeant le bassin en direction du Pilat. Elle pédala doucement, se souvenant des conseils de prudence du professeur Maloy.

Parfois, au détour d'un virage, elle pouvait apercevoir la dune, leur dune ! Celle où Stephen lui avait promis l'éternité. Elle le savait désormais, si fou que cela puisse paraître, il avait tenu parole. Il lui avait offert l'amour éternel, celui si rare que nous attendons toutes et tous, et que nous espérons secrètement blotti dans le silence de nos solitudes.

Au fil de ses souvenirs, elle appuyait de plus en plus sur les pédales. Elle redevenait la jeune Camille, riant si fort qu'elle en fermait les yeux de bonheur. Le Moulleau était en vue, elle posa son vélo contre un rondin de bois longeant l'avenue de l'Océan.

L'ancienne maison de pêcheur était toujours là, au beau milieu des restaurants et des bars, les volets venaient d'être récemment repeints.

Un rouge vif avait pris la place du bleu océan. Un large massif de pâquerettes avait été aménagé devant la terrasse maintenant fermée par une véranda. La maison avait bien changé. Les promoteurs n'avaient pas pu la récupérer, et c'était mieux ainsi !

Camille resta assise sur un banc à contempler chaque centimètre de bois comme pour s'imprégner de tout ce bonheur et de toute cette force que lui avait offerts Stephen.

C'était certain, ni Stephen ni Kayla n'habitaient ici. La nouvelle décoration était magnifique, mais ne ressemblait en rien à l'atmosphère qu'auraient pu lui donner le père ou la fille.

Les volets de la chambre s'ouvrirent, une femme à la chevelure blanche contempla le ciel bleu. Elle resta quelques instants le visage face au soleil. Un homme s'approcha et posa sa main sur son épaule. Il prononça quelques mots, et de loin Camille reconnut un accent hollandais. L'homme disparut, puis réapparut quelques minutes plus tard sur la terrasse, préparant la table du petit déjeuner. Il ouvrit largement les grandes baies vitrées afin de profiter de la fraîcheur du matin.

Camille était face à eux, et contemplait la scène. Cela lui faisait du bien de ressentir la douceur qui se dégageait de cette maison. Elle ne s'en rendit pas compte, mais l'homme remarqua son regard insistant. Il leva la tête comme s'il voulait l'interpeller.

Le petit déjeuner terminé, elle n'avait toujours pas bougé. L'homme se leva et sans hésiter traversa l'allée conduisant au ponton. C'est à ce moment que Camille comprit qu'il venait vers elle ; elle baissa instantanément les yeux.

— Bonjour madame. Excusez-moi, puis-je vous aider ? demanda-t-il dans un français parfait avec un fort accent des Pays-Bas.

Camille, d'abord confuse, se sentit rassurée par la gentillesse de cet homme.

— Je ne voulais pas vous déranger...

— Vous ne nous dérangez pas. J'ai remarqué que vous regardiez fixement dans notre direction. Peut-être souhaitez-vous un renseignement ?

Elle hésita.

— Non, non...

— Je ne voudrais pas être impoli ou faire preuve d'obstination, mais je crois que si ! affirma-t-il.

— Vous avez raison, je connais très bien cet endroit... enfin, je connaissais cette maison. J'avais envie... de la revoir.

L'homme s'assit à côté d'elle et fit signe à sa femme que tout allait bien.

— Vous devez la trouver différente ?

— Oui, mais elle est très jolie.

— Vous l'avez connue il y a longtemps ?

Camille ne répondit pas tout de suite, elle passa sa main dans ses cheveux courts et avec une infinie lenteur s'adossa contre le banc et tourna la tête vers son interlocuteur. Il pouvait deviner sur son visage un mélange de sérénité et de nostalgie.

— La première fois que je suis venue ici, j'avais seize ans ! Il n'y avait pas tous ces restaurants.

— Ah, je vois…

Elle posa enfin la question qui la taraudait.

— Et… vous êtes ici depuis quand ?

L'homme sourit et se lança dans une surprenante explication, n'omettant aucun détail.

— Nous sommes à la retraite depuis huit mois avec ma femme, mais c'est l'année dernière que nous avons décidé de franchir le pas. Nous avions l'habitude de passer nos vacances sur la côte atlantique, cette région nous a toujours attirés, nous n'avons pas d'enfants, alors nous avons acheté cette maison pour nous y installer. Il a fallu près de trois mois de travaux ; l'ancien propriétaire, depuis le départ de sa fille, ne l'avait pas entretenue.

Camille sentit une boule dans sa gorge tandis que les battements de son cœur s'accéléraient.

— L'ancien propriétaire…

— Oui, un homme charmant, nous l'avons rencontré deux fois. Une première fois pour visiter les lieux, puis une deuxième pour conclure notre transaction dans l'étude d'un notaire d'Arcachon.

Camille, malgré les mois qui étaient passés, sentit trop d'émotions remonter et préféra prendre congé.

— Je vais vous laisser, ma famille m'attend.

Elle se leva.

— Venez donc boire un café avec nous, proposa-t-il.

— Vraiment, je vous remercie, mon vélo m'attend aussi, fit-elle en le désignant d'un geste de la main.

Son interlocuteur semblait chercher ses mots. Il tergiversa avant de déclarer de façon abrupte :

— Vous devez être Camille... J'aimerais que vous partagiez un café avec nous !

Elle écarquilla les yeux. Comment cet homme connaissait-il son prénom ?

— Mais comment... ?

Il la saisit par le bras, ne lui laissant pas le temps de poursuivre, et l'entraîna vers la terrasse.

— Je te présente Camille, dit-il à sa femme.

— Enchantée.

— Bonjour Camille, vous pouvez m'appeler Jana.

Puis, s'adressant toujours à son épouse, le maître de maison eut ces mots étranges :

— Tu peux aller chercher... Tu vois ce que je veux dire ?

— Bien sûr, Epke, sers-lui donc un café !

Jana se dirigea vers la dépendance accolée à la maison. Avant d'y entrer, elle s'arrêta et demanda des renseignements à son mari dans leur langue d'origine. Il fit de grands gestes décrivant comme une rangée d'étagères. Sa femme acquiesça et disparut dans la maison.

Troublée par le comportement du couple, Camille ne disait rien, elle observait la scène

298

comme une spectatrice qui attendrait un surprenant épilogue.

— Une tasse de café ?

— Avec plaisir, j'avoue que je ne comprends pas.

— Écoutez, à l'instant je vous ai parlé de l'ancien propriétaire. Je ne me trompe pas en disant que vous l'avez bien connu ?

Camille eut du mal à prononcer son prénom.

— Stephen...

— Oui, M. Stephen Lodgers, la personne qui nous a vendu ce magnifique logis. Eh bien, voyez-vous, avant la signature de l'acte, il nous a fait promettre quelque chose.

Camille, les yeux grands ouverts, attendait impatiemment la suite.

— Oui...

Tandis que Jana déposait sur la table une épaisse enveloppe, Epke continua son récit.

— Pour M. Lodgers, cela semblait être comme une condition suspensive à la vente si nous n'acceptions pas. Le notaire, sur le ton de la plaisanterie, lui a fait comprendre qu'il était impossible d'inclure cette condition dans l'acte. Surtout qu'il s'agissait d'une condition impossible à vérifier.

De plus en plus impatiente, Camille buvait son café à petites gorgées.

— M. Lodgers nous a expliqué rapidement ce qu'il désirait. Il n'avait pas besoin d'un écrit, mais juste de notre parole. Nous avons accepté, et l'acte a été signé. Nous sommes ensuite allés déjeuner, face à la plage Thiers, à Arcachon, avant qu'il reparte pour l'aéroport de Bordeaux-Mérignac en direction de Londres.

Camille se souvint… Londres… *Just a few words*, le Tower Bridge, le London Eye… des tas de souvenirs. Elle ne voulait pas, ne devait pas se laisser submerger.

— Je crois bien que les trois quarts du repas ont été consacrés à cette fameuse condition, n'est-ce pas ? fit-il tout en se retournant vers sa femme.

Elle acquiesça, validant sans hésitation les propos de son mari.

— Mais quelle condition ? demanda Camille, qui ne savait plus quoi penser.

Qu'est-ce que Stephen avait bien pu leur imposer ?

Epke prit l'enveloppe et la tendit à Camille.

— Voilà ce que nous a fait promettre M. Lodgers. Si vous veniez ici, il nous a demandé de vous remettre cette enveloppe. À vous et à personne d'autre !

Camille, les mains tremblantes, demanda :

— Comment m'avez-vous reconnue ?

Le couple se mit à rire, Jana prit la parole.

— Écoutez, vu le nombre de fois où M. Lodgers vous a décrite en nous répétant : « Vous êtes vraiment sûrs de la reconnaître ? », il aurait été difficile de se tromper.

— Et si je n'étais jamais venue ?

— Nous l'avions promis : cette enveloppe serait restée là, à vous attendre.

Camille, profondément troublée, demeurait immobile, la main posée sur le papier.

Jana et Epke comprirent qu'ils avaient accompli leur mission et que désormais elle avait besoin d'être seule.

— Nous ne voulons pas vous mettre dehors, mais je crois que votre famille vous attend, non ? Je me trompe ?

Perdue dans ses pensées, Camille mit quelques instants avant de réagir.

— Bien sûr, je vais prendre congé, dit-elle simplement.

Le couple se leva et l'accompagna jusqu'à la rue principale où les premiers commerçants commençaient à installer leurs devantures. Ils embrassèrent Camille et lui souhaitèrent bonne chance.

Camille se dirigea d'abord vers l'avenue de l'Océan, il était près de 9 heures, Richard, Vanessa et Lucas étaient peut-être réveillés. Elle regarda son portable, aucun message ni appel.

Elle préféra alors se rendre sur la plage. Elle s'assit sur le sable. À sa gauche la dune et, face à elle, le phare du Cap-Ferret... les souvenirs tapaient fort. Et cette enveloppe, devait-elle l'ouvrir ? Depuis le début de sa maladie, elle avait pris une décision, Stephen l'avait acceptée, alors à quoi bon remuer un passé bien trop fort en émotions ? Elle resta un long moment l'enveloppe serrée contre sa poitrine, ne sachant que faire... L'envie était là, le besoin aussi ! Ce qui la convainquit définitivement d'ouvrir la lettre, c'était la confiance qu'elle accordait à Stephen. Cet homme n'avait jamais pensé qu'à une chose : faire son bonheur et ne pas aller à l'encontre de ce qu'elle souhaitait.

Le cœur battant, elle déchira l'enveloppe d'épais papier kraft. Elle reconnut *Le Manuscrit inachevé,* celui que Stephen lui avait envoyé et où il lui avouait tous ses sentiments en écrivant leur histoire depuis leur rencontre sur les bancs du lycée, laissant à Camille le soin de choisir la suite.

Au milieu du manuscrit était insérée une feuille pliée en deux. Elle la saisit, prit une ample inspiration et découvrit les mots de Stephen.

« Camille,
Si tu lis ces lignes, c'est que tu vas mieux, et que tu es à l'endroit qui fait partie de toi, dans cette ville que tu aimes tant !
L'ancienne maison de pêcheur, celle que je t'ai fait découvrir lorsque nous étions au lycée, a sans doute un peu changé. Je n'y reviendrai plus, trop de souvenirs, trop de sensations, trop de toi. Je ne reviendrai pas non plus à Paris. J'ai vendu Des mots et des maux, *c'est mieux ainsi !*
Je suis reparti vivre à Londres. Tu vois, on revient toujours vers ses racines. Kayla a repris son atelier de peinture, j'ai agrandi Just a few words. *Tu ne reconnaîtrais pas la librairie, elle a tellement évolué.*

Sois rassurée, je ne t'en veux pas, Camille, je ne t'en voudrai jamais, tu as eu la force que je n'ai pas eue pour sauver notre amour. Il est désormais indestructible, il vivra en nous jusqu'à la fin de nos jours.

Tu découvriras enfin le dernier chapitre du Manuscrit inachevé. *J'ai eu le courage de rédiger la fin de l'histoire. Garde-le, relis-le dans quelques années à tes petits-enfants les soirs d'hiver. Tu te souviens, c'est ce que tu espérais : leur raconter notre histoire. Ce sera facile, change nos prénoms, ce sera mieux ainsi, notre secret, juste à nous.*

Relis-le aussi lorsque tu seras seule et que les tempêtes océaniques se déchaîneront sur Arcachon. Le temps se calmera alors rapidement et laissera place à un immense soleil éclairant notre dune.

C'est difficile de terminer une lettre quand on s'adresse à l'amour de sa vie et que l'on sait que ce sont les derniers mots, définitivement les derniers.

Alors simplement, ma Camille, mon adolescente que j'attendais devant le lycée... je crois que si tu ouvres cette lettre, je le sentirai et que, où que je sois, loin de toi, je sentirai un air frais, je saurai que c'est un signe et je serai rassuré à jamais.

Stephen »

Camille pleurait, elle ne pouvait arrêter le flot de ses larmes.

Sans hésiter, elle ouvrit le manuscrit, et lut ce fameux dernier chapitre, Stephen y décrivait la fin de leur histoire dans les moindres détails.

Elle s'attarda sur le dernier paragraphe.

« *Nous n'avons pas compris à seize ans... que nos sentiments étaient plus forts que tout, plus forts que nous ! Aujourd'hui, c'est une évidence, nous avons construit une forteresse de tendresse. Quels que soient les assauts du temps, rien ne pourra la détruire, quelles que soient nos vies à chacun, rien ne pourra l'effacer. Notre amour continuera de vivre à travers nous. Il sera présent, chaque seconde, à nos côtés.*

Peut-être parce que c'était moi,
Sans doute parce que c'était toi ! »

Épilogue

Quand je dis tout bas la beauté du monde,
je parle de toi.

Louis ARAGON

Camille se calma et essuya ses larmes. Elle referma *Le Manuscrit inachevé*. Elle jeta un dernier regard vers la dune, puis se dirigea vers l'avenue de l'Océan.

Quand elle passa devant l'ancienne maison de pêcheur, Jana et Epke lui firent un signe amical. Camille, sans ralentir le pas, leur répondit d'un geste timide de la main.

Au même moment à Londres.

Just a few words n'allait pas tarder à ouvrir ses portes. Kayla remarqua que son père semblait moins nostalgique ce matin. Elle ne dit rien, elle le connaissait trop bien, ce moment lui appartenait, elle le respectait. Depuis bien longtemps, il n'avait pas paru aussi souriant et apaisé. Il lui fit même part de ses nouveaux projets d'agrandissement.

En cette matinée de juillet, Londres était baigné par un soleil généreux. Un air frais, léger, soufflait sur la capitale britannique. Stephen sortit de sa librairie et inspira profondément.

Pour la première fois depuis bien longtemps, il pensa que ça valait la peine et que la vie était belle !

Camille envoya un message à Richard pour le prévenir qu'elle serait là dans une vingtaine de minutes avec des croissants pour petit-déjeuner en famille sur la terrasse. Quand elle entra dans la boulangerie, l'odeur rassurante du pain chaud lui fit du bien. Ses larmes avaient séché et elle arborait un visage fatigué, mais serein.

Camille remonta sur son vélo et pédala aussi fort qu'elle le put. Il lui tardait de serrer ses enfants dans ses bras et de préparer cette nouvelle journée de vacances avec Richard. Sans doute iraient-ils faire un tour au marché, puis direction la plage. Elle se sentait vivante, emplie d'une force qui l'accompagnerait désormais tout au long de son existence.

Pour la première fois depuis bien longtemps, elle pensa que ça valait la peine et que la vie était belle !

Et puisque tout a une fin,
j'aimerais vous dire... merci !

Aux équipes des Éditions Michel Lafon : Anissa, Fanny, Margaux, Anne, Frédéric et tous ceux qui travaillent à la réussite de mes romans.

À Huguette Maure, directrice littéraire, des remerciements appuyés. Je me souviens de vos premiers mots pour cette « suite » : « Bruno ! Musclez-moi cette histoire ! » Ce conseil m'a suivi tout au long de la rédaction du manuscrit. J'espère vous avoir convaincue.

À Elsa Lafon, pour ta confiance ! Tu as su, avec délicatesse, me convaincre que Camille et Stephen ne nous avaient peut-être pas tout dit...

À Stéphanie et Marie des Éditions J'ai lu. Vous donnez une seconde vie à cette belle aventure. Je compte sur vous pour que les sillons de mes romans se creusent toujours plus loin, toujours plus profond.

À Florence, l'artiste ! Tu possèdes un don rare : résumer en un dessin unique, une couverture, 350 pages de mots et une multitude de sentiments. Bravo !

À tous mes amis, une mention particulière à Serge et Stéphane, qui sont là depuis toujours, bien avant le début de ma deuxième vie, celle d'auteur.

Qui serait capable de me faire chanter mon tube préféré des années 1980 en grimpant la dune du Pilat ? Qui serait capable, après un bon repas dans un restaurant face au bassin d'Arcachon, d'ingurgiter des chichis trempés dans un chocolat chaud ? Personne, à part vous !

À Claire et Christelle, qui, discrètement, mais sincèrement, sont là.

À Laury et Lisa, un énorme merci, l'amitié traverse les générations. Un message un matin, une photo reçue depuis un voyage en TGV car vous avez lu et aimé le livre du vieil ami du papa, c'est cool, merci les filles !

À Stéphanie. La passion de l'écriture nous réunit régulièrement devant un café dans une brasserie libournaise. Merci de ta visite au Salon du livre de Brive.

À ceux que j'avais perdus de vue depuis des dizaines d'années et qui, grâce à mes romans, m'ont contacté pour me féliciter et m'encourager avec, quelquefois, une pointe de nostalgie en se souvenant des amphis de faculté et des blouses de chimie. Alain, André le planton du bâtiment B de la cité universitaire, Hélène, magnifique message, Michel, tu vois que je suis capable d'écrire plus de quatre pages, Chantal, eh oui ! tu as lu mes quatre romans…

Aux libraires, blogueuses, responsables de bibliothèque qui conseillent mes livres avec une conviction qui force le respect.

Aux organisateurs de Salons. Que c'est bon de découvrir mes lecteurs venus à ma rencontre !

À mes amis auteurs. À nos crises de fou rire au cours des week-ends de dédicaces.

À vous, lectrices et lecteurs, pour vos messages, vos mots, vos sourires. J'espère vous rendre un peu de toute cette énergie que vous me transmettez.

À mes parents et beaux-parents, qui suivent cette aventure depuis le début.

À Aline, Daniel et Valérie, ma famille, mes cousins, je pense à vous !

À ma grand-mère, qui n'a pas eu le temps de lire mes livres. D'un souffle, je t'envoie toutes les pages qui s'envolent vers toi, vers tes bois, tes prairies, tes pierres. Tu me manques !

À Natacha et Anouchka, mes filles, mes deux lumières qui éclairent mon chemin depuis plus de vingt ans ! Si vous saviez comme je suis fier de vous !

Enfin, merci à Sylvia, pour ta patience, pour avoir supporté mes week-ends d'absence, mes discours sans fin, mes doutes trop intenses. Et aussi, pour tes critiques dures, difficiles à entendre, mais justes…

… et pour tout ce qui n'a pas sa place ici !

Table des matières

1. L'insouciance 11

2. Si cet amour existe… 27

3. Ai-je le droit de croire ? 53

4. J'ai vu ma vie défiler 65

5. On aura beau… 93

6. Trop de questions ! 109

7. Ainsi vont les choses 135

8. Malgré le doute 153

9. Le manque 177

10. La vie n'oublie rien 199

11. Moi, je m'étais dit… 213

12. La croisée des chemins 219

13. L'instant précis 247

14. Autant de temps… 265

15. La recette du bonheur 269

16. Des tas de petits espoirs 279

17. Le cœur un peu plus fort 291

Épilogue 305

Et puisque tout a une fin,
j'aimerais vous dire… merci ! 307

Table des matières

1. Jalna Vannina, 1930

2.

3.

4.

5.

6.

7.

8.

9.

10.

11.

12.

13.

14.

15.

16.

17.